KB076199

1.5℃

1.5℃

발 행 | 2023년 11월 27일
저 자 | 김민준, 송정후, 황승원, 김지야
(대전삼천중_지구를 위한 삼천가지 행동 동아리)
펴낸이 | 한건희
펴낸곳 | 주식회사 부크크
출판사등록 | 2014.07.15.(제2014-16호)
주 소 | 서울특별시 금천구 가산디지털1로 119 SK트윈타워 A동 305호
전 화 | 1670-8316
이메일 | info@bookk.co.kr

ISBN | 979-11-410-5532-5

www.bookk.co.kr

1.5℃

김민준, 송정후, 황승원, 김지야 지음

BOOKK

| 차례 |

김민준 에세이

| 작가 소개 | 김민준

지구 인구 80억 명 중 오직 하나뿐인 사람인 김민준입니다. 여러 가지 많고 많은 일에 치여 살고 있습니다. 이 책을 쓴 동아리의 부장으로서 최선을 다해 일했습니다. 앞으로도 계속해서 치일 많은 일들이 걱정되면서도, 최선을 다할 것입니다.

여러분들이 좋아하는 동물은 한 개씩은 가지고 계실 것 같습니다. 저희에게 만화나 영화에서 캐릭터로 다루어져 익숙한 동물들도 있습니다. 그 예시로는 펭귄, 북극곰, 호랑이 등이 있을 것입니다. 하지만 그런 동물들의 귀여운 모습들에만 집중하지 않고 다른 부분에 대해 집중해 보는 것은 어떨까요.

이러한 동물들은 '멸종위기종'입니다. 대한민국에 있는 멸종위기종은 약 282 종이라고 합니다. (2022.12.9. 환경부 법률 개정 기준) 대한민국을 포함한 전 세계에 있는 멸종위기종들은 정말 수도 없이 많을 것입니다.

그렇다면 이러한 동물들은 어쩌다 멸종위기종이 되었을까요

모두가 아시듯이 '지구온난화' 때문입니다.

그렇다면 지구온난화는 왜 일어나며, 이로 인한 영향은 무엇일까요.

이 책은 여러분들에게 지구온난화가 얼마나 두려운 존재인지 각인시켜 드리기 위하여 출판되었습니다.

1. 세상의 발전

사람들은 무한한 욕심을 가지고 있습니다. 뭐든 어떻게
해서라도 자신이 원하는 것을 쟁취하기 위해 노력하죠.
사람들은 자신이 원하는 것을 위해서라면 이기심을 부리는 등
그냥 눈이 뒤집힙니다.
부당한 우대, 사기 등과 같은 행위들이 있습니다.
이런 인간의 욕심은 환경에도 영향을 줍니다.

사람들은 수많은 이익과 자신들의 편의성을 얻기 위해 수단을 가리지 않고 노력하곤 합니다. 그리고, 이기심을 발휘합니다.

대표적인 사례로는 '산업 혁명'이 있습니다.

180여 년 전인 19세기 초반은 자본주의의 시발점이 된 산업 혁명이 활발했던 시기입니다. 발 디딜 틈 없이 공장이 들어섰고, 갖가지 진귀하고 새로운 물건이 쏟아져 나왔습니다.

하지만 산업 혁명의 내면은 좋은 부분만 있던 것은 아니었습니다. 도시로 내몰린 노동자들이 하루 16시간씩 일하고 받은 일당은 1,000원도 채 되지 않았습니다.

세상이 너무 갑자기 바뀌다 보니 혼란이 커졌습니다. 이전까지만 해도 세상에서 가장 힘이 셌던 사람은 땅을 많이 가진 귀족이었습니다. 하지만 산업 혁명 이후에는 땅이 아니라 공장을 가진 사람의 힘이 세졌습니다. 그들은 귀족이 아니라 평민들이었습니다. 그중 장삿속에 밝고, 돈 버는 데 재주가 뛰어난 새로운 지식인들이었습니다. 귀족들은 마음이 영 꼬이기 시작합니다. 몇십 년 전까지만 해도 장사나 해 먹고살던 평민이 돈 좀 벌었다고 사장님 소리 들으며 떵떵거리는 게 몹시 꼴 보기가 싫었던 거죠. 그래서 귀족들은 평민 사장님들을 비난합니다. 귀족들의 비난에 평민 사장님들도 열이 받습니다. 고상하게 집에 처박혀서 일은 안 하고 교양을 운운하는 귀족들이 열심히 사업하는 자기들을 나쁘게 이야기하니까요. 이들의 갈등은 점점 심각해집니다.

바로 이때 등장한 사람이 애덤 스미스입니다. '귀족과 평민 사장님 중 누구의 편을 드는 것이 사회의 발전을 위해 올바른 일일까?' 고뇌 끝에 스미스는 평민 사장님들의 편에 섭니다. 그리고 이렇게 주장합니다.

"이기적으로 살아라. 그것이 바로 인류를 위한 길이다."라고요.

그가 이런 주장을 할 수 있게 된 가장 중요한 배경은 그가 '경쟁'에 대한 굳은 믿음을 갖고 있었기 때문입니다. 그는 경쟁이 활발해질수록 더 좋은 물건이 만들어지고, 더 나은 세상이 올 것이라고 믿었습니다.

이처럼 산업 혁명은 인류 역사에 길이길이 남을 만큼의 매우 엄청난 일이었습니다. 무려 세상을 발전시켰으니 말이죠.

하지만 이러한 세상의 발전에 대한 단점은 과연 없을까요?

산업 혁명은 혁신과 발전을 가져왔지만, 몇 가지 단점도 존재합니다. 다음과 같은 단점들이 있습니다.

첫 번째로는 작업환경의 악화입니다. 초기 산업 혁명 당시 공장에서의 노동조건은 극도로 악화되었고, 노동자들은 긴 근로시간과 위험한 환경에서 일해야 했습니다.

두 번째로는 불평등 증가입니다. 산업화로 경제가 성장하면서 부와 권력의 불균형이 악화되었으며, 노동자들과 고용주 간의 갈등이 심해졌습니다.

세 번째로는 자원 소모와 환경 파괴입니다. 산업활동은 자원 소모와 환경 파괴를 초래하였으며, 오염과 기후 변화 문제가 점점 더 중요해지고 있습니다.

네 번째로는 노동의 자동화와 실업입니다. 자동화와 기계화로 인해 일부 직종이 사라지거나 더 효율적으로 수행됨에 따라 노동시장에서 일부 노동자들이 실업에 직면할 수 있습니다.

마지막으로는 의료 및 보건 문제입니다. 산업 발전으로 인해 대기 오염, 수질 오염 등의 환경 문제가 발생하여 건강에 부정적인 영향을 미칠 수 있습니다.

이러한 단점 외에도 수많은 단점들이 존재하고 있습니다. 위 5가지 단점들에서 저희가 집중해야 할 부분은 3번째 단점인 '자원 소모와 환경 파괴'입니다.

세상의 발전은 환경에 다양한 영향을 미칩니다. 산업화와 기술 혁신으로 인한 에너지 소비 증가는 온실가스 배출을 증가시켜 기후 변화를 가속화시킬 수 있습니다.

에너지 소비 증가는 기후 변화의 주요 원인 중 하나로 작용합니다. 다음은 에너지 소비로 인해 발생하는 기후 변화 관련 사례 몇 가지가 있습니다. 처음으로는, 화석연료인 석유, 석탄 및 천연가스를 연소하면 이산화탄소와 같은 온실가스가 대기로 방출됩니다. 이로 인해 대기 중 온실가스 농도가 증가하고 지구온난화가 가속화됩니다.

다음으로는 산업 분야에서의 에너지 소비는 대량의 온실가스 배출을 초래합니다. 생산 과정에서 에너지를 사용하는 것 외에도 원자재 생산과 운송 등도 추가 배출을 유발합니다.

마지막으로는 교통수단입니다. 자동차, 비행기 및 배와 같은 교통수단은 화석연료를 사용하여 움직이며, 대규모 에너지 소비와 온실가스 배출을 불러일으킵니다.

자원 소비와 폐기물 생성 역시 환경 문제를 일으키며 생태계 파괴, 생물 다양성 감소 등을 초래할 수 있습니다.

이렇게 세상의 발전이 좋은 점만이 꼭 좋은 점만 있는 것은 절대적으로 아닙니다.

세상의 발전은 과학의 발전과도 유사합니다.

과학적이든, 세상으로 넓게 보든, 계속하여서 발전하면 할수록 환경에 끼치는 영향이 적지 않을 것입니다.

2. 1.5℃

갑자기 뜬금없이 웬 온도가 나오나 생각하실 수 있습니다.
하지만 이 작은 온도 하나에 숨겨진 의미는 많고 큽니다.

'지구온난화' 다들 들어보셨으리라 생각합니다.

지구온난화란, 지구의 기온이 어떠한 이유에서든 평균 이상으로 증가하는 현상입니다. 그렇다면, 지구온난화의 원인으로는 무엇들이 있을까요?

지구온난화는 여러 가지 원인에 의해 발생합니다.

첫 번째로는 온실가스 배출입니다. 주요 온실가스인 이산화탄소, 메탄, 이산화질소 등의 배출이 증가하면서 대기 중 온실가스 농도가 증가합니다. 이 가스들은 태양에서 온 에너지를 흡수하고 지구의 온도를 높이는 역할을 합니다.

두 번째로는 화석연료입니다. 석유, 석탄, 천연가스와 같은 화석연료를 연소하는 과정에서 많은 양의 이산화탄소가 대기로 방출됩니다.

세 번째로는 자연 파괴입니다. 숲을 해하거나 산림을 파괴하면, 이산화탄소의 흡수 기능을 잃게 되어 대기 중 온실가스 농도 증가에 영향을 줍니다.

이러한 세 가지 원인 등이 지구온난화를 가속화 시킵니다.

이러한 원인 중에서 저희가 이목을 집중해야 하는 부분은 바로 첫 번째 원인인 '온실가스 배출'입니다.

온실가스 배출은 지구온난화의 주요 원인으로, 이산화탄소, 메탄, 아산화질소 등의 가스가 대기 중에 늘어나 태양 에너지를 대기에 갇히게 하는 현상입니다. 원래 온실가스는 지구온난화 이전에도 존재하며 동물들에게 살기 좋은 환경을 제공해주었습니다. 다만, 인간들의 무분별한 개발로 인하여 이산화탄소, 메탄 등의 농도가 급증하여 지구온난화라는 현상이 생겨났습니다.

이러한 온실가스는 어디서 나올까요? 대부분의 온실가스는 인간에 의해 발생됩니다. 이러한 온실가스가 배출되는 데는 여러 이유가 있지만 그중에서 가장 높은 비율은 바로 이산화탄소입니다. 무려 77%를 차지합니다.

이러한 이산화탄소는 주로 발전소 등에서 전기를 생산하거나 공장에서 물건을 생산할 때, 석유와 석탄 같은 화석연료를 사용 시에 발생하며 뿐만 아니라 자동차와 비행기, 건물의 냉난방 등에도 발생하게 됩니다.

그다음으로 많은 배출되는 것은 바로 메탄입니다. 농축산업 분야의 소의 트림 및 방귀 등에서 메탄이 발생하며, 농업 폐기물 및 가축의 분뇨에서도 메탄이 발생하게 됩니다.

이러한 온실가스는 '온실 효과'라는 효과를 만들어 냅니다.

온실 효과란 태양의 열이 지구로 들어와서 나가지 못하고 순환되는 현상입니다. 태양의 열이 지구로 들어와서 나가지 못하고 순환되고 있으니 당연하게도 지구의 온도는 뜨겁게 데워질 것입니다. 더해서, 앞서 말했듯이 사람들의 무분별한 개발로 이산화탄소와 메탄 등이 급증하게 되면서 온실 기체의 양이 늘어났고, 온실 효과가 강해지면서 지구온난화가 활발해지게 된 것입니다.

이쯤 와서 다시 지구온난화의 정의를 다시 살펴보면,

지구온난화란 지구의 기온이 어떠한 이유에서든 평균 이상으로 증가하는 현상입니다.

위의 말에서 집중해서 보아야 할 부분은 '기온이 평균 이상으로 증가'입니다.

현재 지구의 평균 온도는 약 15도로 현재 알려져 있습니다. 하지만 이 약 15도마저 NASA는 2022년 지구 평균 온도가 19세기 중반보다 섭씨 1.1도 더 올랐다고 전해졌습니다. 지구의 기후는 자연적인 변동이 있지만, 과학자들은 현재 기온이 다른 때보다 빠르게 상승하고 있다고 말합니다.

그렇다면 어느 정도의 수치를 넘으면 지구에 악영향이 끼쳐질까요. 물론, 어느 정도의 수치이든 지구의 평균 온도가 오른다는 것은 굉장히 큰 영향입니다.

하지만 전 세계가 정한 온도가 있습니다.

바로 그 온도가 1.5℃입니다.

1.5도란 지구 평균기온이 산업화 이전 수준보다 1.5도 높아지지 않도록 하는 것을 의미하고 있습니다. 이는 인류의 안전을 확보하고 생태계를 보전하기 위한 온도 상승 최대량으로, 유엔과 과학자들이 제시한 목표입니다.

2015년에 파리 협정이 있었습니다. 회의 주최자 프랑스의 외무장관 로랑 파비우스가 야심 차고 균형 잡힌 이 계획은 지구온난화에 있어서 역사적 전환점이라고 할 정도로 지구온난화에 큰 영향을 미친 회의입니다. 해당 회의의 내용은 탄소중립과 온실가스 감축 등이 있었지만 가장 중요한 부분은 1.5℃였습니다. 회의의 내용은 다음과 같았습니다.

지구 평균 온도 상승 폭을 산업화 이전 대비 2℃ 이하로 유지하고, 더 나아가 온도 상승 폭을 1.5℃ 이하로 제한하기 위해 함께 노력하기 위한 국제적인 협약입니다. 각국은 온실가스 감축 목표를 스스로 정해 국제사회에 약속하고 이 목표를 실천해야 하며, 국제사회는 그 이행에 대해서 공동으로 검증하게 됩니다. 파리협정은 2016년 제23차 기후변화당사국총회에서 195개국의 만장일치로 채택되었다. 2017년 6월 미국의 탈퇴 선언과 2020년 11월 4일, 미국의 공식 탈퇴에도 불구하고, 여전히 세계 탄소 배출의 87%에 달하는 200여 개 국가가 협정을 이행 중입니다.

하지만 최근 세계기상기구는 2027년 안에 지구 평균기온이 66%의 확률로 1.5℃ 기준점을 넘을 것이라고 밝혔습니다. 1.5℃ 기준점을 초과할 경우 폭염 일수가 길어지고 폭풍과 산불이 더욱 강해지는 등 지구 온난화로 인한 기후 재앙은 더 큰 피해를 끼칠 전망입니다.

세계기상기구는 지난 2020년부터 향후 1년 안에 1.5℃ 기준점이 깨질 가능성을 계산해 발표하고 있습니다. 당시만 해도 5년 안에 기준점이 깨질 가능성이 20% 미만으로 예측됐으나, 지난해 50%까지 증가했으며, 올해 다시 66%로 상승한 것입니다.

이에 대해 전문가들은 그렇지 않을 가능성보다 크다는 뜻이라고 설명하였습니다.

3. 1.5℃↑

1.5℃가 넘게 되면 어떠한 일들이 일어날까요.
당연히 좋은 일들은 아닐 것입니다.

1.5℃가 증가한다는 것은 기후 변화로 볼 수 있습니다.
기후 변화로 인한 영향은 많은 부분에서 이미 명백하게 나타나고 있습니다. 기후 변화는 이미 사회와 대기, 해양, 빙권. 생태계 등 자연계에 영향을 미치고 있습니다. 이러한 영향은 점차 강화되고 있습니다. 우리가 생활 속에서 직접 체감하는 것으로는 기후 변화로 인한 폭염, 호우, 한파 등 기상현상일 것입니다.

과학자들은 사람들이 지구온난화의 주범인 온실가스를 계속 방출하지 않는 이상 기상 이변은 계속 잦아질 것이라 설명합니다.

기후 변화로 인한 영향 몇 가지를 보도록 하겠습니다.

첫 번째로는 폭염입니다.
폭염이란 평년보다 기온이 매우 높아 심각한 더위로 일상생활에 지장을 줄 정도인 상태를 말합니다.

폭염이 처음으로 등장한 것으로 추정하는 시기는 페름기 대멸종시대부터 일부 시기를 제외한 중생대 전반기아라고 알려질 정도로 폭염은 상당히 오래전부터 존재해왔습니다. 하지만 요즘 폭염의 강도가 감당할 수 없을 정도로 세지고 있습니다. 요즘 폭염이 이어지면서 뉴스에선 사람들은 너무 덥다, 진짜 올해 들어 제일 덥다 등 여러 가지 표현으로 더움을 표출하고 있습니다.
전문가들은 올여름이 기상관측 이래 가장 높은 기온을 기록한 2018년에 맞먹는 역대급 폭염일 가능성이 큰 것으로 보고 있습니다. 이러한 폭염의 원인으로 뜨거운 공기가 반구 형태의 지구 지붕에 갇혀 지표면 온도를 달구는 '열돔 현상'으로 꼽고 있습니다.
'열돔 현상'이란 지상에서 약 5~7km 높은 상공에서 발달한 고기압이 정체된 상태에서 반구 형태의 돔을 형성하면서 뜨거운 공기를 지면에 가둬놓는 기상현상입니다. 이러한 폭염의 발생하는 이유가 '열돔 현상 ' 때문이라고 분석되며, 이 현상이 발생하면 평년 기온보다 5~10도 이상 오르면서 며칠간 지속됩니다. 열돔 현상은 전 세계 전역에서 나타나고 있으며, 우리나라의 경우 중국에서 발생한 열돔 현상으로 생긴 무더운 열기가 바람을 타고 우리나라 쪽으로 밀려오면서 발생합니다.

한국이 열돔 현상으로 인한 더위로 전국 곳곳에서 정전과 수도 공급으로 인한 불편함을 겪고 있다면, 전 세계 곳곳에서도 열돔 현상, 산불, 홍수와 같은 자연재해로 몸살을 앓고 있습니다. 실제로 2023년 7월 31일 하루 동안 온열질환 응급실 감시체계로 확인된 온열질환 사망자는 모두 7명이나 됩니다. 이로써 7월 31일까지 집계된 온열질환자는 사망자 10명을 포함하여 모두 1천15명으로 집계됐습니다. 27일 영국 연구진의 논문을 보면 장기 폭염·한파·홍수·가뭄·산불·태풍 등 기상이변으로 인한 전 세계 사망자 수는 2000년부터 2020년까지 약 50만6천770명으로 집계됐습니다.

두 번째로는 폭우입니다.

폭우란 짧은 시간 동안 좁은 면적의 지역에서 줄기차게 내리는 큰비를 말합니다.

폭우는 폭염과 같이 인명피해를 굉장히 많이 유발하곤 합니다. 실제로 지난 19일 행정안전부에 따르면 이번 폭우로 인한 인명피해는 전날 오후 5시 기준 사망자 14명, 실종자 6명, 부상자 26명으로 잠정 집계되었습니다. 물난리로 인해 8261명이 대피했으며, 이 중 1497명은 아직 집으로 돌아가지 못하고 있다. 침수피해를 본 주택, 상가는 16683건에 달합니다. 본격 조사를 거치면 피해 규모는 더 커질 수 있습니다.

또한 중국에서는 현지시간 24일 오후 4시 기준, 총사망자 수는 58명, 실종자 수는 5명으로 각각 집계됐다고 발표했습니다. 또 930만 명 이상이 이번 폭우로 피해를 봤고, 그중 110만 명 이상이 안전한 곳으로 대피했다고 밝혔습니다. 정저우에는 지난 17일부터 사흘 동안 1년 치 강수량에 버금가는 617mm의 비가 내렸는데, 이로 인해 6차선의 징광북로 터널이 침수됐고 200대 이상의 차량이 갇혀 희생자는 더 늘어났다고 합니다.

폭우는 요즘 기후 변화로 인해 더욱 많이 나타나고 있습니다. 폭우의 발생 원인은 대기 상층과 하층의 온도와 습도 차이로 인한 대기 불안정과 정체전선의 영향입니다. 정체전선은 북쪽의 춥고 건조한 공기와 남쪽의 따뜻하고 습한 공기가 만나서 형성되며, 좁은 범위에 많은 비를 내리는 특징이 있습니다. 또한 지구온난화로 인해 해수 온도가 상승하고 대기 중의 수증기가 증가하여 폭우 발생 가능성이 높아졌다는 연구 결과도 있습니다.

세 번째로는 한파입니다.

한파란 평년보다 기온이 매우 낮아 추위가 심하여 일상생활에 지장을 줄 정도인 상태를 말합니다.

한파는 여러 질병을 유발할 수 있습니다. 한파로 인한 질병 종류에는 저체온증, 동상, 심혈관질환, 뇌혈관질환 등이 있습니다. 실제로 2018년 심한 추위에 겨울 들어 저체온증으로 7명이 사망하고 233명이 응급치료를 받았다고 합니다. 질병관리본부는 12월부터 전국 524개 응급실을 대상으로 조사한 결과 지난 7일까지 한랭 질환자가 223명 발생하고 이중 7명이 사망했다고 10일 밝혔다. 구체적으로는 178명이 저체온증, 34명이 동상, 1명이 동창, 나머지는 기타질환자다.

그렇다면 한파는 왜 일어날까요. 한파가 일어나는 이유는 겨울철 시베리아고기압 때문입니다. 이 고기압은 겨울 동안 지표층 공기의 강한 냉각에 의해 형성됩니다. 1월 평균 북반구 최저기온을 유지하다가 차가운 공기덩어리 한대 기단이 형성되면 그 기단을 타고 남쪽으로 내려와 유럽대륙 일부와 동아시아 지역에 추위를 가져옵니다.

그렇다면 과연 이러한 극단기후 현상, 기후 변화 현상만 지구온난화의 영향에 있을까요?

당연히 아닙니다, 기후 현상을 제외하고도 지구온난화는 인간들뿐만 아니라 지구 전체에게도 큰 영향을 미칩니다.

지구온난화는 생태계에도 큰 영향을 미칩니다.

뉴스를 보면 우리나라에서 주로 재배되던 과일이나 채소가 지구온난화로 중부 지역으로 재배 지역을 옮겼다는 소식을 종종 들을 수 있습니다. 이 뉴스처럼 지구온난화로 인해 지역별로 분포하는 식물의 종류가 달라지고 있습니다. 또한, 추운 지방이나 고산지대처럼 특별한 식물만 자라는 곳에서도 변화가 생기기 시작했습니다. 예를 들어 북극 지역에서는 식물의 키가 커졌고 원래 그 지역에서 볼 수 없었던 식물 종류가 자라기 시작했습니다.

지구온난화로 북극이나 남극의 얼음이 녹으면 이곳에 사는 동물들은 삶의 터전을 잃습니다. 예를 들자면 북극곰은 살아가는데 바다를 덮고 있는 얼음인 해빙이 꼭 필요합니다. 북극곰은 해빙 위에 있는 바다표범이나 바다사자를 주로 잡아먹습니다. 그리고 먼 거리를 이동할 때도 바다 위에 있는 해빙을 이용합니다. 그래서 과학자들은 북극곰이 가까운 미래에 멸종할 것으로 전망되고 있습니다. 북극에 사는 바다표범도 마찬가지입니다.

기후 변화는 육지의 동물뿐 아니라 해양 동물에도 큰 영향을 끼치고 있습니다. 지구온난화로 바다 표면 바닷물 온도가 높아지면서 바다 식물성 플랑크톤이 줄어들고 있습니다. 지난 100년간 바다 식물성 플랑크톤이 약 40%가 줄었다고 합니다. 그런데 바다 식물성 플랑크톤은 바다에 사는 초식동물의 먹이가 되어 해양 생태계를 유지할 수 있었으므로, 지구온난화는 바다 생태계에 굉장히 위협적인 영향을 미칩니다.

온실가스 감축 없이 현재대로 배출될 경우 급격한 기온 상승에 적응하지 못하고 멸종될 수 있는 생물 종은 국내 조사 자료가 확보된 전체 약 5,700여 종 중 336종에 달했습니다. 이는 온실가스를 적극 감축할 경우에 비해 5배나 더 많은 수치로 서식지 이동이 쉽지 않은 구슬다슬기, 참재첩 등 담수생태계에 서식하는 저서무척추동물종이 큰 피해를 입을 것으로 예측되었습니다.

기후 변화로 인한 온도 상승은 주로 습지나 수생태계에서 외래종에 의한 생태계 교란 문제를 일으킬 것으로 예측됩니다. 온도 상승은 아열대·열대 지방에서 유래된 뉴트리아, 큰입배스 등 외래종의 서식지가 확산될 수 있는 기후환경을 제공합니다.

대표적으로, 뉴트리아에 의한 피해 예상 내륙습지 수는 온실가스 적극 감축 시 32개, 그렇지 않을 경우 120개로 약 4배에 달하는 생태계 교란 피해 차이가 예측됩니다.

▲ 뉴트리아(https://www.istockphoto.com/kr)

기후 변화는 극한의 가뭄 현상 발생 건수도 증가시켜 내륙습지 소멸의 원인이 되기도 합니다.

지구온난화와 수온 상승, 미세플라스틱 오염, 무분별한 포획 등으로 '멸종위기종'이 증가 하고 있습니다.

여러분이 좋아하시는 펭귄, 북극곰 등의 동물들은 지구온난화로 인해 자신들의 서식지인 빙하가 녹게 되면서 서식지의 부재로 멸종이 점점 늘어나가는 추세입니다.

여러분들이 좋아하시는 동물들은 점점 사라지고 있습니다. 그리고 언젠가는 지구상에서 삭제될 수도 있습니다. 여러분들이 좋아하시는 동물들을 조금이라도 더 보고 싶다면, 동물들이 안타깝다면 우리가 어떻게든 도움을 줘야 합니다. 어떠한 동물들이 있을까요.

4. 우리의 역할

과연 굉장히 작은 범위인 우리가 지구온난화를 멈출 수 있을까요. 아니 속도를 늦출 수는 있을까요.

당연히 우리가 바로 지구온난화를 멈추기는 굉장히 어려울뿐더러 가능성도 매우 희박합니다. 하지만 우리뿐만 아니라 다른 단체, 개인이 같이 노력을 한다면 어렵게 볼 수는 있겠지만 실현이 아예 불가능한 목표는 아닙니다.

그렇다면 우리가 할 수 있는 노력에는 뭐가 있을까요?

지구의 생존과 지구에 살고 있는 인류의 건강과 행복을 위해 환경오염 방지는 중요합니다. 우리가 숨을 쉬는 공기는 해로운 오염물질이 가득하고 바다와 수로는 화학 물질로 오염되어 있습니다. 손을 쓰지 않으면 환경오염 때문에 우리의 지구는 아름다움과 생명력, 그리고 다양성을 잃어버릴 것입니다.

환경오염을 막기 위해 우리가 현실적으로 할 수 있는 일을 몇 가지 알아보도록 하겠습니다.

첫 번째로는 전력을 아끼기 위해 불필요한 조명을 최대한 끄고 절약 정신을 길러야 합니다. 에너지의 형태를 전환할 때 환경오염 물질이 배출될 수밖에 없습니다.

두 번째로는 재생에너지 활용입니다. 태양광이나 풍력 발전과 같은 재생에너지를 사용하여 화석연료 소비를 줄일 수 있습니다. 화석연료의 소비가 줄어들면 자동으로 온실가스도 감축될 것입니다.

세 번째로는 대중교통 이용입니다. 자동차 대신 대중교통을 이용하거나 걷거나 자전거를 이용하여 탄소 배출을 줄일 수 있습니다. 두 번째와 마찬가지로 탄소 배출이 줄어들면 온실가스도 감축될 것입니다.

네 번째로는 플라스틱 줄이기입니다. 일회용 플라스틱 사용을 줄이고 재활용 가능한 제품을 선택하며, 병과 쓰레기를 분리하여 재활용합니다. 재활용이 불가능한 플라스틱은 쓰레기로 변하기 때문입니다. 불필요한 플라스틱은 낭비되며, 매년 무려 800억 ~ 1200억 달러가 낭비됩니다. 플라스틱으로 인한 환경오염의 심각성을 알리고, 불필요한 플라스틱의 사용을 규제해야 합니다. 따라서 우리 모두가 불필요한 플라스틱의 사용을 줄이는 노력을 기울여야 합니다,

다섯 번째로는 나무 심기입니다. 나무를 심거나 숲을 보호하여

이산화탄소 흡수를 촉진합니다. 탄소를 줄여야 하는 이유는 그 이유는 탄소와 산소가 결합한 이산화탄소는 온실기체 중 가장 비중이 높은 온실 효과의 주범이기 때문입니다. 온실 효과로 인해 지구의 기온이 증가한다면 생태계의 약 30%가 멸종할 수 있고, 각종 세균이 증식하게 되기 때문에 저희는 이산화탄소를 줄여야 합니다.

지금까지는 '우리'가 할 수 있는 노력, 단지 개인이 할 수 있는 노력이었습니다.

그렇다면 단체가 할 수 있는 노력으로는 무엇이 있을까요. 이제는 단체가 할 수 있는 노력을 보도록 하겠습니다.

지구온난화에 대응하기 위한 단체의 노력은 다양한 차원에서 이루어질 수 있습니다:

첫 번째로는 정책 제안 및 변화 촉진입니다. 정부 및 국제기구들은 환경보호와 온난화 대응을 위한 법률 및 정책을 제정하고 시행함으로써 산업, 에너지, 교통 등 다양한 분야에서 지속 가능한 변화를 촉진할 수 있습니다. 또한 정부 및 국제단체 등이 좋은 노력을 많이 한다면 이는 개개인이 노력에 참여할 수 있게 만들 수 있습니다.

두 번째로는 재생에너지 지원입니다. 정부와 기업은 재생에너지 발전을 촉진하고 지원하여 화석연료에 의한 온실가스 배출을 줄일 수 있습니다. 재생에너지는 무공해, 친환경적 에너지로 건강과 환경에 매우 유리합니다. 신재생 에너지는 사용 시 온실가스나 다른 오염물질들을 거의 발생시키지 않기 때문에 지구온난화와 대기 오염 문제들을 완화 시켜줄 것입니다.

세 번째로는 환경 교육 및 홍보입니다. 교육 단체와 NGO는 환경보호에 대한 교육과 홍보를 통해 대중의 인식과 참여를 높이는 역할을 합니다. 교육을 활발히 진행하다 보면 아주 조금이라도 노력하는 사람들이 증가할 수 있습니다.

또한 기업들은 현재 많은 노력을 시행 중입니다. 예를 들면 ESG 경영과 RE100 등이 있습니다.

먼저, ESG경영이란 ESG는 환경(Environmental), 사회(Social), 지배 구조(Governance)의 영문 첫 글자를 조합한 단어로, 기업 경영에서 지속가능성을 달성하기 위한 3가지 핵심 요소입니다. 기업의 지속적인 성장 및 생존과 직결되는 핵심 가치들로, ESG를 구성하는 세부 요소입니다. 기업들은 이렇게도 환경에 관심을 가지곤 합니다.

다음으로, RE100이란 Renewable Energy 100의 약자로 2050년까지 기업에서 사용하는 전력의 100%를 재생에너지로 대체하자는 국제적 기업 간 협약 프로젝트입니다. 이를 달성하기 위해서는 재생에너지로 생산된 전력만을 이용하거나, 사용한 전력만큼 REC(신재생에너지공급인증서)를 구매해야 한다고 합니다.

▲ 태국의 RE100마크

RE100과 비슷하게도 CF100이 있습니다. CF100은 'Carbon Free의 약자로 탄소 배출 없는 발전을 하자는 캠페인입니다. RE100과 차이점은 RE100은 원자력 발전을 친환경으로 인정하지 않지만 CF100은 인정한다는 점에서 큰 차이를 가지고 있습니다. 그러나 RE100에 참여하는 전 세계 기업들의 수가 무려 385개에 달하는데, CF100은 겨우 70여 개에 불과합니다.

이처럼 단체들은 지금도 끊임없는 노력을 하고 있습니다. 이 외에도 수많은 노력들이 있습니다.

지금도 수많은 사람들이 아주 많은 노력을 하고 있고 지구온난화의 속도를 늦추는 데 심혈을 기울이고 있습니다.

하지만 현재로는 실천하는 사람보다는 실천하지 않는 사람이 더 많다고 볼 수 있습니다.

저희도 이러한 노력에 참여할 필요가 있습니다. 저희의 참여 여

부에 따라서 미래뿐만 아니라 현실마저도 바뀔 수 있습니다.

만약 참여하지 않고 지구온난화를 가만히 두다 보면 현재와 같이 지구의 평균기온 상승률이 유지되고, 21세기 말 지구 평균기온은 3.7℃ 상승하고, 해수면은 63cm 상승하여 전 세계 주거 가능 면적의 5%가 침수될 것이며, 평균 지표 온도가 상승함에 따라 다수의 지역에서 폭염의 발생 빈도와 강도 또한 증가할 것이라고 합니다. 평균 지표 온도의 변화 및 평균 해수면 상승 높이 변화. 지구온난화 및 기후 변화에 대한 전문 연구기관인 IPCC에 따르면, 인간은 기후 시스템에 영향을 끼치고 있으며 최근 배출된 인위적 온실가스의 양은 관측 이래 최고 수준입니다.

이렇게나 심각해질 것입니다.

저희의 미래, 그리고 현재까지 책임질 수 있는 기회가 있다는 것 자체로 행운으로 봐야 한다고 생각합니다. 저희는 이러한 기회가 주어진 것에 대하여 감사하며 최선을 다해야만 하는 것입니다. 이 기회를 놓치지 않고 잡아채서 꼭 좋은 결과를 이끌어 내야만 합니다. 저희에게 더 이상 다른 기회는 오지 않을 것입니다. 지금은 지구의 마지막 경고이자 마지막 기회입니다.

저희는 이러한 기회를 잡을 필요가 있습니다.

그에 대한 노력도 끊임없이 해야 합니다.

지금처럼 해도 모자랍니다. 더더욱 많은 노력을 하며 지구온난화 방지에 심혈을 기울여야만 한다는 말로 이 글을 마칩니다.

| 작가의 말 |

이 글을 작성하면서 저는 많은 생각과 감정을 경험했습니다. 이 글은 환경을 지키려는 노력들을 탐구하고, 우리가 마주하는 환경위험, 마주할 환경위험을 담아내기 위한 시도였습니다.

이 글은 환경보호를 위해 노력하는 인간의 용기를 담고 있습니다. 이 작품을 읽으며, 독자 여러분도 느낀 점이 있으셨으면 좋겠습니다. 또한, 무엇보다도, 이 작품을 통해 환경에 대한 생각을 다시 해볼 수 있는 계기가 되었으면 좋겠습니다. 감사합니다.

송정후 에세이

| 작가 소개 | 송정후

저는 대전 삼천중학교에 재학, 환경에 관심이 있어 환경 동아리에 가입하여 1.5℃라는 첫 도서를 쓰게 된 송정후입니다. 이 책을 쓰는 과정에서 저도 환경에 대해 많이 탐구해 보고, 알게 되었던 것 같습니다.

1. 미미한 차이

"우리는 지구 생태계와 동물들과 공존할 책임이 있습니다. 우리가 환경을 보호하고 존중하는 선택을 하지 않으면, 우리의 자녀와 미래 세대는 그 대가를 치러야 할 것입니다."

- 제인 구달(Jane Goodall)

지구는 우리의 유일한 공동 주거지로서, 우리는 이곳에서 생활하고 자원을 이용하며 다양한 활동을 펼치고 있다. 그러나 우리의 활동으로 인해 발생하는 환경 문제는 우리의 미래와 미래 세대 사람들, 더욱이 생존에 대한 위협을 안고 있다. 기후 변화, 자원 고갈, 생물 다양성 감소 등의 문제는 우리가 해결해야 할 긴급한 과제이다. 이에 따라 우리는 환경보호와 지속 가능한 변화에 대한 노력을 보다 강화해야 한다.

지구 평균기온이라고 하면 대부분 온화한 기후나 우리가 지금 살고 있는 대한민국의 환경을 떠올리기 마련이다. 하지만, 이 거대한 지구의 평균기온이 1도가 올라가면 어떤 일이 벌어질까?

지구 평균기온 1도 상승은 일기 예보에서 흔히 보는 일반적인 기온을 얘기하는 것이 아니다. 조금 수학적으로 예를 들어보자. 다섯 명의 사람이 서로 사과를 차례로 한 개, 두 개... 이렇게 다섯 개까지 가지고 있다면 사과의 평균 개수는 3개이다. 하지만, 여기서 사과의 평균 개수가 하나 늘어서 4개가 된다면 다섯 명이 가진 사과의 전체 개수는 15개에서 20개로 훌쩍 뛰게 된다. 미미한 변화라도 전체적으론 비교적 큰 영향을 불러온다는 것을 직관적으로 보여 주는 예시이다.

지구 평균기온이 전 세계에 미칠 영향은 막대하다. 1도의 상승은 극단적인 기상현상, 즉 폭염, 폭설 및 폭우와 홍수의 빈도가 잦아질 것이다. 온난화가 지속되면 지구는 더 활발히 열을 흡수하고 방출하게 되는데, 이때 더 많은 수증기를 흡수하게 되면 폭우나 홍수가 더 자주 발생한다는 것이다.

지구온난화가 빙하의 붕괴와 해수면의 상승을 야기한다는 것은 모두가 잘 아는 사실이다. 그렇다면 미미하게 보였던 지구 평균기온 1도 상승이 불러올 해수면 상승의 정도와 그 피해는 어느 정도일까?

기후 변화로 인해 20세기부터 21세기까지 해수면은 연간 3mm씩 지속적으로 상승해 왔지만, 현재까지는 몇 년 안에 대한민국을 비롯한 국가들이 직접적인 피해를 입을지 예상하기 어려운 상황이다. 그러나, 해수면 상승이 지속된다면 몇 년 안에 우리나라의 해안 도시인 부산이나 남해안 지역이 피해를 보는 것은 당연한 결과일 것이다.

내가 책을 쓰고 있는 지금, 2023년 제 6호 태풍 카눈이 대한민국을 관통하고 있다. 태풍의 빈도도 지구온난화와 관련이 없지 않아 있으므로, 이야기해보고자 한다.

먼저 태풍의 발생 조건부터 살펴보자. 태풍은 따뜻하고 습한 공기가 해면에서 상승하여 높은 대기까지 이동하며 생성되는데, 주로 열대 해안에서 발생한다. 이에 매년 태풍이 일본 남쪽이나, 동남아시아 부근에서 발생하여 대한민국 근처까지 도달하는 것을 흔히 볼 수 있었을 것이다. 지구 평균기온 상승이 가속화되면, 우리나라 해안을 비롯해 모든 바다의 해면 온도가 상승하게 되는 것은 너무나 당연한 현실이다. 이에 태풍의 발생 조건인, 해면 위의 따뜻하고 습한 공기의 형성도 따라서 가속될 것이며, 지금보다 더 강력한 폭풍이 더 잦게 발생한다.

또한 당연하게도 지구 평균기온 상승은 국가와 지역별로 영향을 미치기에, 극악의 환경에 지구 평균기온 상승이 더해지면 원래 농작물이 살기 어려운 환경도 더 건조해지며 가뭄이 심화될 것이다.

책의 제목이 섭씨 1.5도인 만큼, 평균기온 1도 상승이 불러올 효과에 이어 2도 상승이 불러올 결과에 대해서도 알아보자. 이쯤 되면 별로 체감되지 않던 지구 평균기온 2도 상승이 꽤 치명적으로 느껴질 수도 있다. 지구는 1800년대 중반 산업화 전의 평균기온보다 서너 배 뜨거워졌고, 이때의 기온 차이는 섭씨 1도를 넘는다. 화력 발전 등을 비롯한 생산 활동이 지속되는 것을 고려하면, 2도는 그리 먼 미래가 아님을 알 수 있을 것이다.

지구 평균기온이 2도가 상승하게 되면 초래될 결과의 종류는 1도 상승 때와 비슷하지만, 그 정도가 대단히 심해질 것은 확실해 보인다. 추가적으로 발생할 가능성에 대해서는 생태계 변화나, 빈곤 및 이주 문제가 있다. 식물의 서식지가 변하고, 특히 생물 다양성이 감소하여 종의 대이동이 발생할 수 있으며 이는 생태계뿐만 아니라 인간에게도 위협적인 이동으로 다가올 수 있을 것이다.

산호초는 해양 생태계에 중대한 영향을 준다. 우선, 다종의 물고기들에게 서식지를 제공할뿐더러 산호의 주변에서 많은 물고기들이 먹이를 탐색하는 것으로 알려져 있다. 하지만 기온이 올라가게 되면 이 산호초들의 백색화 현상이 진행된다. 산호가 백색으로 변하게 되면 더 이상 해양 생물들에게 지대한 영향을 줄 수 없고, 일부 지역에서는 어업에 영향을 끼쳐 지역 경제도 크게 타격을 받을 수 있다. 여기서는 해양 생태계를 예로 들었지만, 조류나 육상 동물들도 피해를 받으리라는 것은 너무나도 당연한 연결일 것이다.

우리나라에서는 비교적 온화한 기후 지역인 제주에서 감귤이 재배되는 것을 보아 왔겠지만, 이제는 제주에만 한정되지 않는다. 한반도 중부 내륙 지방에서도 감귤이 활발히 재배되기 시작한다. 이는 곧, 온난화로 인해 재배할 수 있는 식물의 범위가 변해 간다는 의미이다. 우리나라로 예를 들어보면, 평균기온 상승으로 인한 재배지 변화는 대부분의 과일에 영향을 끼친다. 감귤은 현재 중부 내륙 지방까지 재배지가 확대된 상태이고 이후 지속적으로 고위도 지방으로 확대될 예정이다. 더 나아가, 사과와 배 등의 재배는 서늘한 기온 아래를 요구하지만 이들은 감귤과 같은, 따뜻한 지방에서 자라는 과일과 식물들로 모두 대체될 수 있다.

또한, 앞서 말한 해수면 상승에 관해, 2도 상승이 불러올 해수면 상승은 더욱 치명적이다. 해수 온도와 해수면의 상승은 해안가의 침식을 더 촉진할 것이고, 이에 해안 지역 침수와 더불어 인간이 거주 가능한 땅이 지속해서 줄어들 것이다. 이에 거주지를 잃은 주민들의 빈곤이나 기아 문제가 극심해지고, 심화된 빈부 격차는 사회 갈등을 야기할 위험성이 존재한다. 증가한 빈도수의 태풍이나 자연재해로 인해 도시가 받는 피해와 그 보수 비용이 막대하게 증가한다는 사실은 지극히 자명하므로 특별히 언급하지 않겠다.

2. 자원과 소비 생활

우리가 일상적으로 사용하는 모든 것은 자원을 필요로 한다. 식품, 에너지, 옷, 전자제품 등 모든 제품과 서비스는 자원을 통해 생산되며 우리의 소비로 인해 더 많은 자원이 필요해진다. 하지만 우리의 불필요한 소비와 자원 낭비는 지구의 자연환경을 위협하고 있다.

지구는 한정된 자원을 가지고 있다. 화석연료, 광물, 물, 토양 등이 이에 해당한다. 이러한 자원은 한계가 있으며, 무분별한 소비로 인해 고갈되거나 파괴될 수 있다. 예를 들어 화석연료인 석유의 경우, 한 번 사용하면 다시 생성되지 않아 고갈될 가능성이 크다.

현대 사회는 빠른 소비와 물질적 풍요로움을 추구하는 소비문화에 빠져들었다. 하지만 이로 인해 자원 소모와 환경오염이 늘어나고 있습니다. 제조 과정에서 발생하는 폐기물, 수요증가로 인한 자원 고갈, 화학 물질에 의한 대기와 수질 오염 등이 환경 문제를 악화시키고 있다.

자원 고갈과 환경 파괴를 막기 위해서는 지속 가능한 소비가 필요하다. 지속 가능한 소비란 자원을 절약하고 환경을 생각하면서 제품과 서비스를 선택하는 것을 말한다. 에너지 효율적인 제품 선택, 재활용과 재생 가능한 자원 활용, 불필요한 소비 줄이기 등이 이에 해당한다.

소비자는 환경을 결정짓는 주요 주체 중 하나입니다. 우리가 선택하는 제품과 서비스가 수요를 조절하고 생산 과정을 영향을 미친다. 그렇기 때문에 환경에 미치는 영향을 고려하여 지속 가능한 제품을 선택하고 불필요한 소비를 줄이는 노력이 필요하다.

우리의 선택과 행동이 얼마든지 미래 세대에게 영향을 미칠 수 있다. 위와 같이 지속 가능한 소비 습관을 실천하면 환경을 보호하고 더 나은 미래를 위한 길을 열어갈 수 있다. 더 나아가, 기업과 정부의 지속 가능한 정책과 기술 발전을 지원하여 환경보호의 긍정적인 변화를 이끌어내는 데도 역할을 할 수 있다.

지속 가능한 미래를 위해서는 지금 우리의 선택과 행동이 중요하다. 환경을 생각하면서 소비하는 습관을 만들고, 자원을 보존하며 지구의 미래를 지키는 노력을 함께 해보는 것은 모두에게 이롭고 긍정적인 영향을 미칠 것이다.

현대 사회에서는 우리의 소비 활동으로 인해 생겨나는 폐기물들의 양과 독성도 만만치 않다. 폐기물은 우리의 생활과 생산 활동에서 발생하는 다양한 형태를 가지고 있다. 플라스틱 쓰레기, 전자제품 폐기물, 산업 폐기물 등이 대표적인 예이다. 이 폐기물들은 자연환경에 해로운 영향을 미치며, 대기, 물, 토양을 오염시

킨다.

플라스틱은 환경을 파괴하는 가장 대표적인 폐기물 중 하나이다. 플라스틱은 자연 분해에 수백 년 이상의 시간이 걸리며, 바다와 강 등으로 유출되면 수많은 해양 생물에게 위험을 준다. 미세 플라스틱의 존재로 인해 생태계가 훼손되고 생물 다양성이 감소하는 결과를 초래한다.

전자제품의 빠른 발전과 대량 생산은 전자 폐기물의 양을 크게 늘리고 있다. 이들 폐기물은 유해한 화학 물질로 인해 대기와 물을 오염시키며, 처리되지 않은 경우 인체 건강에도 위협이 된다. 또한 전자 폐기물 처리 과정에서 발생하는 화학 물질은 생태계에 심각한 영향을 미친다.

폐기물 문제는 환경과 인류에게 심각한 영향을 미치고 있다. 이 문제를 해결하기 위해서는 환경보호의 중요성을 인식하고 지속 가능한 폐기물 관리 방안을 찾아야 한다. 재활용, 재사용, 환경친화적인 소재 사용 등은 폐기물 문제를 해결하는 데 도움이 될 수 있는 방법이다.

환경 파괴의 주요 원인 중 하나인 폐기물은 우리의 삶과 환경에 큰 위협을 가하고 있다. 우리는 지구의 미래를 위해 자원을 절약하고 폐기물을 적절히 관리하는 책임이 있다. 환경을 지키는 것은 우리와 다음 세대를 위한 가장 중요한 과제 중 하나이며, 지속 가능한 소비 습관과 폐기물 관리가 이를 실현하는 핵심이다.

3. 책임 전가

"몇몇 사람들은 우리 모두가 기후 위기를 만들었다고 말한다.
하지만 그것은 또 다른 편리한 거짓말에 불과하다.
모든 사람에게 죄가 있다면 아무도 책임지지 않기 때문이다.
누군가에게는 책임이 있다."
- 스웨덴 환경운동가 그레타 툰베리

20세기부터 가속되어 온 기후 변화에 책임이 있는 국가나 단체가 특정하게 존재할까? 탄소를 이용한 과도한 생산 활동이 이루어졌고, 그중 세계 온실가스를 제일 많이 방출하는 국가는 중국이며 두 번째로 미국인 것은 사실이다. 사실상 미국, 캐나다, 호주의 사람들은 3일 만에 아프리카 사람들의 연간 온실가스만큼을 사용한다.

그렇다면 가장 많이 피해를 본 국가는? 독일 연구소 저먼워치에 따르면 지구온난화와 기후 변화로 피해가 가장 큰 국가는 푸에르토리코, 둘째로는 미얀마, 셋째로는 아이티.. 등이 있다. 개발도상국들이 집중적으로 피해를 받고 있다는 조사 결과가 나온 것이다. 실제로 동남아시아 국가들은 태평양 서쪽에 위치하여 태풍으로 인한 피해가 타국보다 잦을 수 있다. 앞서 말했듯이, 평균기온 상승으로 인한 폭풍의 강화와 태풍의 강도 상승이 피해를 더 키우는 원인이 될 수도 있는 것이고 그 피해는 탄소를 직접적으로 배출하는 국가보다 대체로 적다.

가끔 우리는 기후 변화에 책임이 있는 기업이나 단체라고 한다면 생산성이 제일 높은 국가나, 유명 기업이 위치한 국가를 짚곤 한다. 하지만, 이미 세계 국가들은 어떤가? 그 기업들이 위치한 국가에서 생산한 여러 상품들을 수입하고, 자국 상점에서 판매하곤 한다. 생산이 이러한 모든 결과의 뿌리로서 책임이 있다고 할 수는 있겠지만, 그 상품들을 이용하는 측면에서 모든 책임이 생산국과 수출국에 집중될 수 있을까?

요약하면, 우리가 현재 문제로 삼고 있을 수 있는, 기후 변화에 책임이 있는 중국이나 미국에서 수출하는 상품을 전 세계 수많은 국가들이 수입하고 판매하고 있다. 따라서, 필자의 생각으로는 특정 국가나 단체에 책임을 모두 모두 전가하기보단 그 상품들을 이용하고 있는 사람들과 그들이 속한 나라의 정부 모두가 책임을 질 의무가 있는 것으로 보아야 할 것이다. 또한 국가 간 탄소 배출량으로 인해 종종 발생하는 갈등도, 책임 전가로서 비용 지불만을 서로 요구할 것이 아니라 국민들과 정부가 기반이 되는 집단적인 해결책 강구가 절실히 필요할 때가 아닌지 다시 한번 생각해 보아야 한다. 질문을 이렇게 바꾸도록 하자. “누가 해결해야 하는가?”에서 “어떻게 해결해야 하는가?”로.

4. 기후 변화 속에서의 대안

"신재생 에너지와 지속 가능한 기술을 통해
우리는 지구를 지킬 수 있을 것입니다.
환경 문제에 대한 대안은 우리의 혁신과 열정에 달려있습니다."
- 엘론 머스크

앞서 말했듯이, 지구온난화는 우리 모두에게 심각한 과제로 다가오고 있다. 기후 변화로 인한 이변적인 기상현상, 해수면 상승, 생태계 변화 등은 우리의 일상과 미래에 큰 영향을 미칠 것임을 앞에서 설명하였다. 이에 우리 모두에게는 이 문제를 해결하고 미래 세대를 위한 더 나은 지구를 만들 암묵적인 의무가 부여되었다고 해도 이상할 것이 없다.

첫 번째 방법으로는 신재생 에너지의 확대가 있다. 석탄 화력 발전을 위한 화석연료 사용은 대기 중 이산화탄소 농도를 증가시키며 지구온난화를 가속화한다. 태양광, 풍력, 수력 등의 신재생 에너지를 더욱 확대하여 화석연료 사용을 줄이는 방향으로 나아가야 한다. 사실 지구온난화의 진행 속도를 0으로 만들기에는 이미 늦은 시점이지만, 그 속도를 늦추기에 가장 통상적으로 알려진 방법은 신재생 에너지의 발전과 확대이다.

둘째로는 온실가스 배출 감소가 있다. 이는 우리나라 초등학생들이 학교에서 환경을 위한 개인적 실천의 간단한 방법 중 하나로 매년 배우기도 하는 것이다. 산업과 교통 등에서 나오는 온실가스 배출을 줄이는 것이 필요하며, 대중교통 이용과 근거리는 도보를 이용하자는 흔한 말이 공교롭게도 개인적으로 실천할 수 있는 가장 간편한 방법으로 자리 잡은 것은 맞다. 더불어, 더 효율적인 제조 과정과 교통수단, 에너지 소비 방식을 고려해서 친환경적인 선택을 적극적으로 채택해야 할 것이다.

◂ 환경부 환경표지 마크
: 친환경제품에 흔히 붙어있는 마크이다.

셋째로는 산림 보호와 복원이 있다. 어디에서나 나무로 울창한 숲은 이산화탄소 흡수와 생태계 유지에 매우 중요한 역할을 한다. 기후 이변과 지구 평균기온 상승으로 인해 앞으로 고온 건조한 기후의 심화와 더불어 산불 빈도가 잦아질 수 있음에, 산림을 보호하고 복원하는 노력을 더욱 강화하여 육상 동물과 식물의 지속 가능한 생태계를 지키는 것이 중요하게 여겨져야 한다.

산림의 보호에 이어 지속 가능한 농업과 식품 생산도 알아보도록 하자. 농업과 식품 생산 분야에서도 산림 보존과 마찬가지로 지속 가능한 방식을 추구해야 한다. 친환경적인 농업과 식품 생산 방식을 도입하여 생태계와 환경을 보존하면서도 충분한 식량 생산을 할 수 있다. 화학 비료의 생산 과정에서도 온실가스가 다량 배출되기 마련이며, 가축 산업에서도 동물 복지를 고려한 환경친화적인 사육 방식을 채택하는 것이 좋을 것이다. 화학 물질의 사용을 최소화하고, 비육 동물의 식이 및 관리를 개선하여 높은 생산성을 유지하면 환경과 생산성 두 마리 토끼 모두 잡을 수 있지 않을까. 이러한 지속 가능한 농업과 식품 생산 방식들은 처음에는 직관적이지 않고 관련성이 없어 보이지만, 몇 단계 공정에 의해 모두 얽혀 있음에 자연과 환경을 보호하면서도 충분한 식량 생산을 유지하고, 미래 세대에 건강하고 안전한 식품 공급을 확보하기 위한 중요한 단계로 여겨져야 한다.

더불어 필자는 위의 것들만큼, 아니 더욱 중요한 것은 바로 사회적 인식의 개선이라고 생각한다. 특히 학생들이 무조건적으로 현 상황을 받아들이는 것보단, 그들이 이 거대한 지구의 일원으로서 평균적으로 1~2도의 상승이 그들에게 얼마나 피해를 줄 수 있는지 일깨워 주고, 지구온난화 문제를 바르게 이해하고 인식하는 것이 중요하다고 생각한다. 적극적인 교육과 여러 프로그램 및 활동의 홍보를 통해 개인과 사회 전체의 역할을 강조하고, 환경보호의 중요성을 알릴 수 있다.

무엇보다도 우리는 모두가 실천할 수 있는 현재의 작은 행동이 미래를 결정한다는 사실을 명심해야 한다. 지구온난화는 우리 모두의 문제이며, 그 해결을 위해 집단적인 노력이 필요하다는 것은 중요한 만큼 앞 챕터에 이어 두 번째로 언급해 본다. 신재생 에너지와 친환경적인 생활 방식을 채택하며 지구의 생태계를 지켜내고, 미래 세대에 더 나은 환경을 물려줄 수 있는 방법은 무한히 존재한다.

5. 기후 협약

앞 장에서는 기후 문제 해결을 위해 할 수 있는 개인적이고 집단적인 노력에 대해 언급하였다. 그렇다면 이때 국가 관련 노력이라고 한다면 어떤 생각이 드는가. 개인적이고 집단적인 노력에 비해 '중대하게' 여겨지는 정부 간 여러 협약, 그 중 대표적인 3가지에 대해 구체적으로 알아보았다.

우선 기후 협약이란 세계 각국이 기후 변화에 대한 대책 마련을 위해 협력하고 전략을 마련하는 국제적인 협약을 말한다.

유엔 기후변화 협약 (UNFCCC)

유엔 기후변화 협약은 1992년 리우데자네이루에서 개최된 지구 환경 및 개발에 관한 유엔 회의에서 채택된 협약이다. 이 회의의 목표는 지구온난화와 관련된 문제를 다루고, 기후 안정성을 확보하며, 각국의 개발과 환경보호를 균형 있게 추진하는 것이다.

이 협약은 각국이 각자의 기후 정책을 제출하고, 기후 변화에 대한 공헌을 약속하는 중요한 뼈대를 제공한다. 이 협약에서 당시 미국 대통령 조지 H.W. 부시는

"환경 문제는 국제적, 글로벌한 문제이며, 우리의 주요한 국제적 의무입니다. 우리는 지구 환경을 보존하고 개선하기 위해 힘을 합쳐야 합니다."

라고 강조하기도 했다.

교토 프로토콜 (Kyoto Protocol)

유엔 기후변화 협약의 일부로 1997년 교토에서 채택된 이 협약은 미국을 비롯한, 온실가스를 생산 과정에서 다량 배출하는 선진국들에 대한 온실가스 배출 감축 의무를 규정하였다. 교토 프로토콜은 주요 공해물질인 이산화탄소, 메탄, 이산화질소 등을 감축하도록 각국에 법적 의무를 지정한 협약의 일부이다. 이 협약에 따르면, 선진국들은 감축 목표에 따라 온실가스 배출량을 '특정 비율'로 줄여야 한다. 이 감축률은 참여국의 종류마다 다양하며, 각국의 경제 구조와 배출량에 따라 적절한 비율을 정하였다. 프로토콜의 감축 목표는 이들이 정한 온실가스인 이산화탄소(CO_2), 메탄(CH_4), 이산화질소(N_2O), 일부 화학 물질에 대한 것이었다. 이 중 우리가 지구온난화의 원인으로 흔히 알고 있는 이산화탄소인 CO_2가 가장 많은 비중을 차지하며, 이 밖의 가스들에 대한 감축도 중요하게 다뤄졌다.

또한 교토 프로토콜은 만일 참여국이 감축 목표치에 미달할 경우 일정한 벌금을 부과하는 벌금 지불 체제도 도입했다. 이를

통해 각국의 감축 의무 이행을 강화하고자 하였다고 한다.

파리 기후 협약 (Paris Agreement)

2015년 파리에서 개최된 유엔 기후 협상에서 채택된 이 협약은 모든 국가가 기후 변화 문제에 대해 협력하고 국가별로 온실가스 감축 목표를 제출하도록 규정한다. 이 파리 협약은이 책의 주제이기도 한, 전 세계 평균적인 온도 상승을 2도 미만으로 제한하고 노력하며, '1.5도'로 제한하기 위한 노력을 공식적으로 정한 역사적인 협약이라고 할 수 있다. 특히 이 회의에서 미국 대통령 버락 오바마는,

″우리가 역사적인 파리 협정을 채택함으로써 우리는 지구의 온도 상승을 2도 미만으로 제한하고 노력할 것입니다."

라며 중대한 발언을 하기도 하였다.

그러나 미국은 진행 도중 2017년 6월 1일에 파리 기후 협정에서 탈퇴하기로 결정하였다. 이는 당시 미국 대통령이었던 도널드 트럼프가 공식적으로 발표한 결정으로, 트럼프 행정부는 협정을 "미국 경제에 부정적인 영향을 미친다."라고 주장하며 탈퇴하겠다고 발표했다.

그러나 미국은 2020년 대선에서 당선된 조 바이든 대통령이 새로이 취임하면서 미국은 다시 파리 기후 협정에 가입하기로 하였고, 현재 파리 기후 협정에 재가입하여 환경보호와 기후 변화 대응에 더욱 적극적으로 참여하고 있다.

6. 마치며

마지막으로, 우리는 이제 선택의 순간에 서 있다. 환경 파괴는 더 이상 무시할 수 없는 심각한 문제이다. 우리가 이제까지 소비한 자원과 남긴 폐기물이 지구에 남긴 상처는 점점 커져만 가고 있다. 그렇다면 이제는 우리의 행동이 미래를 결정짓는 열쇠임을 명심해야 한다.

환경을 생각하면서 행동하는 것은 개인의 선택이 아닌, 우리 모두의 의무이다. 환경 문제는 우리 모두에게 영향을 미치며, 앞으로도 더욱 심각한 상황이 예상된다. 그렇기에 우리의 소비와 생활 습관을 바꾸는 것은 지구와 함께하는 책임 있는 행동이다.

환경을 보호하고 지속 가능한 미래를 위해서는 우리의 노력과 선택이 필요하다. 미래 세대에게 깨끗하고 건강한 지구를 물려주기 위해서는 지금 당장 행동해야 하며, 환경을 파괴하는 소비와 폐기물은 멈춰야만 한다고 강력하게 말해 본다. 더불어 단순한 소비자로서가 아닌 환경 변화를 주도하는 주인공으로서 나아가야 한다.

한 걸음씩 변화를 시작해보라. 작은 선택이 큰 변화를 만들 수 있다. 지구를 위한 작은 노력이 우리의 삶을 더욱 의미 있게 만들어줄 것이다. 환경을 사랑하며 살아가는 우리의 모습이 미래를 밝게 비춰주길 기대한다. 또한 지구는 우리의 유일한 고향이므로, 우리의 선택이 지구의 미래를 얼마든지 바꿀 수 있을 것이다. 지금부터라도 지구를 사랑하는 마음으로 한 걸음씩 나아가 보자.

| 작가의 말 |

우선 이 책을 구매하셔서 완독하신 독자 여러분께 깊은 감사를 드리고 싶습니다.

이 책은 환경에 관심이 새로 생기신 분들과 더불어 학생 여러분들이 환경에 대한 기초 상식을 확립하기에 더없이 도움이 되는 책이라고 생각합니다. 고입을 앞둔 중학교 3학년 학생들이 틈틈이 시간을 내어 가며 쓴 만큼, 들어간 노력도 상당했다고 느껴집니다.

이 책을 완독하신 여러분은 이미 충분히 새로운 분야에 대한 관심이 충만하고, 시대에 따라 변화하는 주요 이슈에 대처할 수 있는 능력을 함양중인 것 같습니다.

만약 중학생이라면, 저희 4명 작가들의 심정에 공감할 수 있을 것이라 생각합니다. 이들을 포함한 모든 분들에게 깊은 감사를 드리며, 우리의 환경과 미래를 책임질 수 있는 인재들로 성장하길 기대합니다.

황승원 에세이

| 작가 소개 | **황승원**

나는 대전 삼천중학교에 재학 중인 지극히 평범한 학생이다. 환경에 관심을 가지고자 동아리에 가입했고 책까지 쓰게 되었다. 이제는 그저 환경이 나아지기를 소망하는 지구촌의 일원이 되었다.

1. 기후와 기후 변화

최근 들어 기후에 대한 관심이 부쩍 늘었다. 아마도 본격화된 기후 변화의 영향을 직접적으로 느끼기 시작했기 때문일 것이다.

기후는 긴 시간 동안의 평균적인 상태를 의미한다. 세계기상기구(WMO)는 30년 동안의 평균값을 기준으로 삼아 강수량, 바람, 기온과 같은 지상 요소들의 종합적인 상태로 기후를 나타낸다. 또, 10년마다 평균값을 계속 경신해 기후의 변화도 고려한다.

유엔기후변화협약(UNFCCC)에서는 기후 변화를 '직접적 또는 간접적으로 전체 대기의 성분을 바꾸는 인간 활동에 의한, 그리고 비교할 수 있는 시간 동안 관측된 자연적 기후변동을 포함한 기후의 변화'라고 정의한다. 이는 기후가 인간 활동이나 자연적인 요소에 의하여 변화한다는 의미를 함유한다.

이처럼 기후는 늘 변해 왔으며, 앞으로도 계속 그럴 것이다. 많은 사람들은 산업 혁명 이후의 각종 인간 활동에 의해 온실가스 배출이 증가하여 기후 변화가 나타났다고 생각하지만, 사실 그전에도 빙하기와 간빙기를 거치며 기후 변화를 겪었었다. 이들을 구별하기 위해 자연적으로 나타나는 기후 변화를 **자연적 기후 변동성**이라고 부르기도 한다. 문제는 인간 활동에 의한 인위적인 기후 변화가 자연적 기후 변동성의 범위를 벗어났으며, 전례 없는 빠른 속도로 지구 환경을 변화시키고 있다는 것이다. 다행히 우리의 노력을 통해서 최악의 상황은 막을 수 있지만, 점점 돌이킬 수 없는 수준에 이르르고 있다.

따라서, 기후 변화의 심각성을 인지하고 이를 막으려는 노력이 중요하다. 그렇다면, 기후 변화는 지구에 어떠한 영향을 줄까. 기후 변화는 크게 땅과 바다에 영향을 준다. 지금부터 각 분야별로 기후 변화의 영향을 알아보자.

먼저 땅이다. 오늘날 과학자들은 지구온난화가 지진이나 화산 활동에까지 영향을 미친다고 말한다. 지구온난화로 인해 만년설이나 빙상 등의 형태로 존재하는 빙하가 녹아 판을 누르는 무게가 줄어들어 지각판의 움직임이 더 격렬해진다는 것이 근거다.

또 지구온난화로 빙하가 줄어들면 빙하가 누르는 압력이 낮아지는데, 빙하로 덮인 아이슬란드의 화산 같은 경우 마그마가 낮은 온도에서도 활동할 수 있도록 만들어 화산 폭발의 하나의 원인으로 작용할 수도 있다.

기후 변화로 인한 강수 패턴의 변화도 화산 분화를 촉진할 수 있다. 과학자들은 최근 200년간 미국에서 발생한 화산 폭발 중 가장 강력했던 2018년 하와이 킬라우에아 화산 폭발의 원인을 분석하면서 땅속 마그마 압력이 서서히 높아지는 이유가 하와이 일대에 평년보다 많은 비가 내린 것이라고 생각했다. 물론 더 많은 연구가 필요하지만, 화산 표면의 구멍을 통해 빗물이 대량으로 들어가면서 암반 압력이 급증하며 화산 폭발을 촉발했다고 해석할 수 있다.

이처럼 기후 변화는 태풍, 폭우, 폭설, 한파, 폭염과 같은 기상 재해는 물론이고 지진과 화산 활동 같은 재해에까지 영향을 미친다.

심지어 기후 변화로 인해 땅이 녹을 수도 있다. 지층의 온도가 2년 넘게 물의 어는점 이하로 유지되어 꽁꽁 얼어붙은 토양층 또는 기반암층을 **영구 동토층**이라고 한다. 땅이 녹는다는 것은 이 영구 동토층이 녹는다는 뜻인데, 문제는 영구 동토층에는 정말 말 그대로 모든 것이 얼어있다. 흙과 얼음은 물론이고, 그 당시 식물들의 잔해와 미생물, 석탄, 석유, 천연가스 등 광물들까지. 광물들이 묻혀있으니 녹으면 좋은거 아닌가? 하는 생각이 들수도 있으나, 영구 동토에는 현재 대기 중 탄소 형태로 존재하는 양보다 최소 2배나 많은 탄소가 메탄 등의 형태로 포함되어 있으며, 만약 이것이 대기 중으로 방출된다면 지구온난화를 가속화할 것이다. 심지어 이 메탄은 같은 양의 이산화탄소보다 온실효과에 기여하는 양이 20배가량 된다. 따라서 이 영구 동토가 녹기 시작하면 다량의 메탄과 이산화탄소가 대기 중으로 방출되고 이로 인해 지구온난화가 가속화되어 더 빠른 속도로 영구 동토가 녹고 이로인해 다시 지구온난화가 가속화되는 악순환이 반복된다.

이산화탄소와 메탄 등의 온실가스만이 문제가 되는 것은 아니다. 영구 동토층에는 각종 병원균들이 얼어있다. 실제로 2016년, 러시아 시베리아의 툰드라 지대에서 2,300마리가량의 순록이 떼죽음을 당하는 사건이 발생했다. 영구 동토층이 녹으면서 그 속에 얼어있던 많은 탄저균들이 활동을 시작한 것이 원인이었다. 영구 동토에는 탄저균 외에 각종 병원균이 얼어있는데, 이들이 깨어난다면 동물뿐만 아니라 인류에도 엄청난 피해를 가하게 될 것이다.

지금까지 기후 변화가 육상에 끼치는 영향을 대표적으로 두 가지를 알아보았다. (사실 말도 못할 정도로 이보다 훨씬 많은 영향을 끼친다.) 육상에 끼치는 피해도 이렇게나 큰데, 훨씬 많은 열에너지를 흡수하는 바다에서 발생하는 피해는 얼마나 클지 상상이 가는가.

우선, 지구온난화로 증가한 열의 대부분에 해당하는 엄청난 규모의 열에너지가 바닷속에 축적되면서 표층부터 수심이 깊은 심해까지 수온이 서서히 상승하고 다양한 변화가 나타나고 있다. 물은 수온이 상승하면 부피가 팽창하는데, 부피가 증가한 바닷물이 밑으로 뚫고 들어갈 수는 없으니 결국 위로 올라가는 해수면 상승으로 이어진다.

또 수온이 상승한 바닷물은 빙하를 빠르게 녹인다. 특히 그린란드나 남극 대륙과 같이 육상에 놓인 빙상 형태의 거대한 빙하가 쪼개지고 분리되어 해수면 상승을 야기하고 있다. 해수면은 해수의 주기적인 운동으로 계속 오르내리기를 반복하고 조위에 따라서 매일 규칙적으로 오르내린다. 또한 태풍이 근접할 때에도 크게 오르내리는 등 해수면은 끊임없이 오르내린다. 해수면의 변화 요인은 담수의 유량, 바람이나 해류의 영향 등 매우 다양하다. 그러나 변화가 폭넓은 기상과 달리 균형 있게 유지되어야 할 기후에서의 1도가 큰 문제인 것처럼, 지구의 평균 해수면이 1cm만 높아진다 해도 해수면 상하운동의 균형을 벗어나 심각한 문제가 발생한다.

이러한 물리적인 변화 외에도 오늘날 기후변화로 바닷속에서 나타나는 변화는 다양하다. 그중 하나는 대기 중에 증가한 이산화탄소가 바닷속으로 녹아들어가 수소 이온 농도를 증가시키고, pH를 낮춰 **해양 산성화**를 유발하는 것이다. 원래 바닷물은 pH 8.1 정도로 약알칼리성을 띠는데, 이산화탄소가 점점 더 많이 녹아 물과 반응해 탄산을 만드는 과정에서 수소 이온이 증가해 pH가 낮아지는 것을 해양 산성화라 한다. 산성화된 바닷물에서는 저주파 음파의 흡수율이 낮아져 선박 소음 등이 음파로 소통하는 해양 포유류에게 지장을 준다. 수산 자원 피해도 산호초 파괴로

2100년까지 약 1조 달러, 어패류의 피해도 약 3천억 달러 규모에 이를 것으로 예상된다. 이처럼 전반적인 해양 생물의 생존이 위협받아 해양 생태계 건강에 악영향을 끼치게 된다.

얼마 전, 우리나라를 관통한 태풍 카눈으로 많은 국민들이 두려움에 떨었다. 이러한 태풍은 물론 하늘에서 내려온 것처럼 생각할 수 있지만, 바다도 빠질 수 없는 관계가 있다. 태풍은 열대 바다에서 만들어지는데, 바닷물이 증발한 수증기가 응결하면서 방출되는 잠열이 열대성 저기압의 에너지원이기 때문이다.

그런데 태풍이 갈수록 더 강력해질 것이라는 예상이 있다면 믿을 것인가? 기후 변화로 바닷물의 수온이 상승함에 따라 더 강한 태풍이 만들어질 것이라고 과학자들은 말한다. 과학자들은 각종 증거들을 통해 인간 활동 영향으로 높아진 대기 중 온실가스 농도가 바닷물의 수온을 상승시킴을 보고하고 있다. 지난 60년간 인도-태평양 웜풀 면적의 3분의 1이 새로 만들어질 정도의 **웜풀 확장**도 바닷물 수온 상승의 중요한 예이다. 태풍을 만들어 내고 대기 대순환과 전 지구적 물 순환에 핵심적인 역할을 하는 웜풀 면적이 이처럼 커지면 태풍의 발생과 이동 경로, 태풍의 강도와 빈도는 물론이고 지구촌 곳곳의 기온과 강수 패턴도 변화할 수밖에 없다.

즉, 기후 변화로 앞으로는 초강력 태풍이 더 빈번하게 발생하고, 우리나라가 속한 동아시아 일대 등에서도 전례 없는 폭우, 강풍, 홍수와 해일 등 악기상이 속출하는 등 전 지구적 기상이변을 피하기 어려울 것이다. 이처럼 기후 변화에 따른 바다 환경의 변화는 태풍과 같은 자연재해 특성도 변화시켜 기후 변화를 점점 기후 재앙으로 만드는 원인이 된다.

2. 1.5℃

서둘러야 한다. 아니, 어쩌면 너무 늦었을지도 모른다. 이미 지구는 끊임없이 뜨거워지고 있다. 1.5도 상승한 지구는 이제 바로 우리 눈앞에 와 있다. 사람들은 우스갯소리로 이를 지구의 종말이라고 부르기도 한다.

그런데 겨우 1.5도 상승했다고 왜 그렇게 과민하게 반응하는지 의문이 들 수도 있다. 그도 그럴 것이, 1.5도, 너무나 작은 숫자이다. 누구든 그렇게 생각할 것이다. 요즘은 낮과 밤의 일교차가 10도가 넘는 날이 비일비재하고, 고작 1도 차이는 몸으로도 느끼기 힘드니까.

그러나 사실, 이 1.5도라는 수치는 엄청난 힘을 가지고 있다. 괜히 전문가들이 1.5도가 지구 기온 상승의 '마지노선'이라고 말하는 것이 아니다. 극심한 폭염, 폭설, 혹한, 가뭄, 홍수, 산불 등 자연재해가 수시로 발생하고 그로 인한 식량 위기와 생태계 소멸이 가속화되는 기후변화 위기의 중요한 전환점이 1.5도이다. 실제로 세계 각국에서 기후 변화에 따라 폭염이나 한파 같은 극한 기온, 폭우, 폭설, 가뭄 같은 극한 강수량이 더 자주 나타나고 있다. 이는 자연재해를 야기하는 것은 물론, 육상과 해양의 생태계까지 심각하게 변화시켜 인류의 생존을 위협한다.

또 지구 평균기온이 1.5도 오른다는 것은 단순히 모든 국가가 균일하게 1.5도씩 오른다는 것이 아니다. 즉 평균 온도는 조금 올라가더라도 지역적으로 상당히 큰 기온 차이가 나타날 수 있다. 0.5도가 올라가는 지역도 있는 반면, 2.5도가 올라가는 지역도 있을 것이다.

이렇듯 지역적 편차가 심해지면 기후 시스템이 변화하고 해양과 대기의 순환이 교란되어 전례 없던 기후를 만들어 내는 등의 연쇄 작용이 생길 수 있다. 지구온난화로 북극해 해빙이 녹자 태양복사에너지 흡수에 속도가 붙어 북극해가 빠르게 온난화되는 북극 증폭이 발생하고, 북반구에서 적도와 북극 사이의 기온 차가 감소하면서 고위도 상공의 제트기류 경로가 불안정해지며 심하게 사행하게 되어, 북반구 중위도 지역에 한파가 발생한 것이 대표적인 예이다.

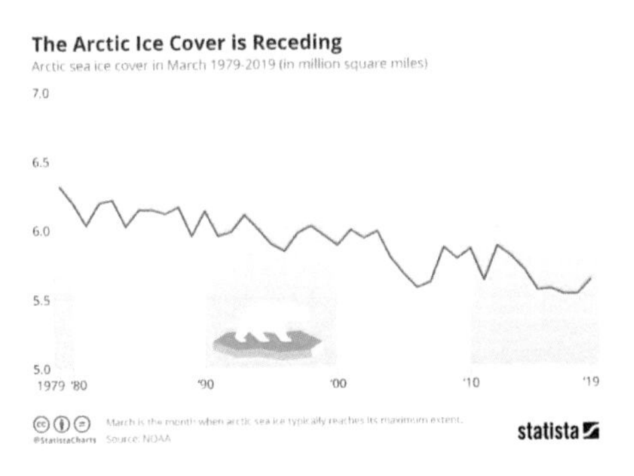

▲ 북극 빙하 면적 감소 추이

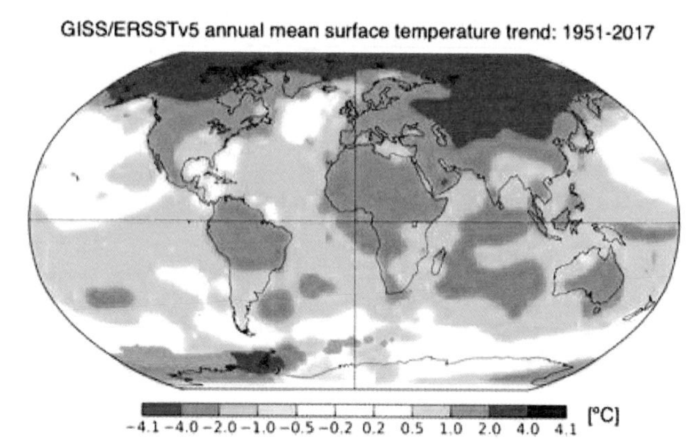

▲ 지난 67년간 평균 지표기온 상승 추세.
(출처 : 부산대 IBS)

아마 지금도 지구온난화의 영향을 크게 실감할 수 있을 것이다. 뚜렷했던 사계절은 불분명해졌고, 점점 여름은 더워지고 겨울은 추워지는 극심한 양극화를 느꼈을 것이다. 그러나 시간이 지날수록 이는 언제든지 반복될 것이며, 더 강하고 빈번하게 찾아올 것이다.

심지어 전 지구적인 열 수송과 물 순환의 변화를 시작으로, 각종 자연재해 특성까지 변화시키고 극한 기후와 악기상의 빈도와 강도를 높여 점점 심각한 피해를 안기고 있다. 특히 이상기후가 나타나면 대비도가 낮은 지역은 종종 정말 큰 피해를 입기도 한다.

이러한 각종 자연재해 피해 규모 증가는 심각한 환경오염과 2차 피해로 이어지기도 한다. 식량 생산에도 차질을 가져오며, 식수를 비롯한 여러 자원 부족에 직면하게 만들기도 한다. 무엇보다도, 동식물들의 서식지가 변하면서 생물 다양성이 감소하는 등 생태계 전반에 큰 문제가 발생한다. 빠르게 서식지가 바뀌고 있는 각종 동식물의 이동만으로도 신종바이러스에 쉽게 노출되어 감염병 충격이 더 빈번해질 수 있다. 이처럼 기후 변화는 단순한 지구온난화를 넘어 전반적인 지구 환경을 변화시켜 지구를 거주 불능 상태로 만들고 있다.

혹시 심각성을 인지했을지라도 별 관심을 두지 않고, 아직도 '나 하나쯤은 괜찮지' 같은 안일한 생각을 가지고 있다면, 다시 한 번 생각해 보길 바란다. 우리와 우리의 다음 세대들이 누리고 있을 미래를, 개인의 행동이 전체적인 문제에 미치는 영향을.

환경 문제는 개인들의 누적된 소규모 행동들이 모여 큰 영향을 미치는 결과로 이어진다. 따라서 많은 사람들이 이처럼 "나 하나쯤이야"라는 바보스러운 태도를 취한다면, 실제로는 매우 중요한 사항들이 방치되고 문제가 악화될 수 있다. 무엇보다도, 환경 문제는 지구 전체의 문제이며 모든 개인의 책임이다. 나뿐만 아닌 다른 사람들을 위해, 다음 세대들을 위해 지구 환경을 보호하고 지속 가능한 방향으로 나아가도록 모두가 노력해야 한다.

3. 환경후진국

"환경을 보호해야 한다". 혹시 이를 모르는 사람이 있는가? 아마 갓난아기가 아닌 이상 모두가 알 것이다. 교육, 매체 등을 통해 환경오염의 실태와 보호의 필요성을 누구나 직간접적으로 접해본 적이 있을 테니까. 그렇다면 과연 국민 모두가 환경보호의 필요성을 깨우친 대한민국은 청정국가일까? 나는 아니라고 답하고 싶다.

사실 깨우쳤다는 것과 실천은 다른 문제이긴 하다. 모두가 그렇듯, 집에는 일회용품이 즐비하고, 길거리에는 쓰레기가 나뒹굴고 있는 광경을 심심찮게 볼 수 있을 것이다. 나도 그렇다. 환경보호가, 환경 애호자 등이 아닌 이상 이기심, 귀찮음 등의 이유로 환경보호에 소극적 태도를 보일 것이다.

무엇보다도, 사람들은 환경오염이 얼마나 심각한지 잘 알지 못한다. 내가 살 길도 잘 모르겠는데, 입시, 취업 등 더 중요한 게 있는데, 굳이 환경에 큰 관심을 두지 않는다.

많은 사람들은 환경에 무관심하며, 마땅히 이렇다 할 대안과 정책도 없는 상황이다. 이러한 요인들은 대한민국이 환경 후진국이 되도록 이끌어가고 있으며, 다양한 통계 자료들이 우리나라가 환경 후진국이 되고 있다는 사실을 뒷받침한다.

지구 생태용량 초과의 날(Earth Overshoot Day)에 관해 들어본 적이 있는가? 지구 생태발자국 네트워크가 매년 발표하는 날인데, 물, 공기, 토양 등 지구 자원에 대한 인류의 수요가 지구의 생산 및 폐기물 흡수 능력을 초과하는 날을 일컫는 말이다. 쉽게 풀이하자면 이날로 인류는 한 해 주어진 생태자원을 모두 소진했다는 것이다. 2023년의 세계 평균 지구 생태용량 초과의 날은 8월 2일이다. 그러나 한국의 지구 생태용량 초과의 날은 4월 2일로 전 세계 10위이다.

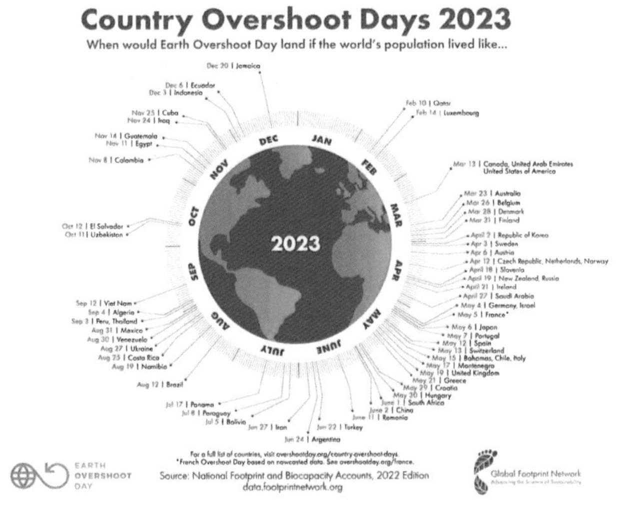

▲ 국가별 용량초과의 날(출처 : Earth Overshoot Day 홈페이지)

세계 모든 사람들이 한국 사람들처럼 생활한다면 지구가 3개가 있어야 한다는 것이다. 즉 지구가 줄 수 있는 정도가 1이라 한다면, 우리는 지금 3을 쓰고 있는 것이다. 쉽게 돈으로 생각해 보자면 연봉 3000만원인 사람이 1년에 9000만원을 쓰는 것과 같다. 엄청난 적자이다. 이와 같은 상황이 지속된다면 언젠가는 파산할 것이다. 이처럼 우리가 만약 지금의 삶을 계속 영위한다면 언젠가는 지구 생태자원이 모두 고갈될 것이다.

대한민국의 주요 도시들은 자동차 및 산업 활동으로 인한 대기 오염이 심각한 수준에 이르렀다. 미세먼지와 오존 농도는 국제 기준을 초과하며, 사람들의 건강에 부정적인 영향을 미치고 있다. 또한, 대기 오염으로 인한 환경 변화는 지속적으로 악화되고 있으며, 이에 따른 질환 발생률도 높아지고 있다. 실제로 OECD가 발표한 국가별 미세먼지 농도를 보면 우리나라가 매년 1위를 차지하는 것을 볼 수 있다.

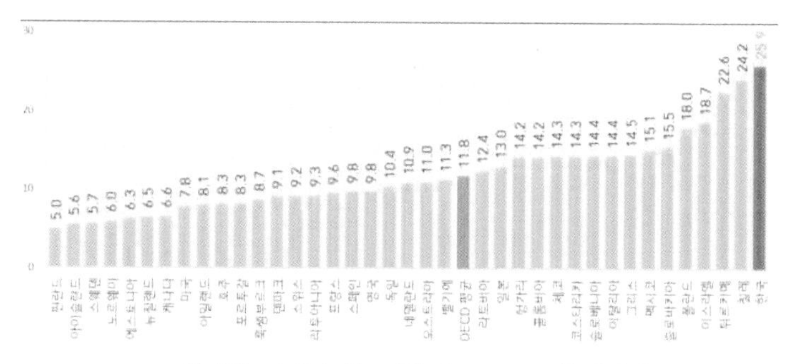

▲ 국가별 미세먼지농도(출처 : OECD 홈페이지)

또한 대한민국은 환경보호 및 지속 가능한 개발을 위한 정부의 노력이 충분하지 않다. 환경 정책의 실행과 강화가 필요한 상황에서도 이에 대한 노력이 부족하거나 효과적으로 이루어지지 않고 있다. 각 국가별 환경 관련 분야의 목표치를 설정하고, 현재의 달성도를 측정, 비교하여 지수로 표시한 환경성과지수를 보면 2022년 우리나라는 180개국중 63위로 그렇게 높지 않은 순위에 위치해 있다. 삶의 질에 영향을 미치는 분야인 수질, 대기질, 폐기물 관리에서는 23위, 30위, 6위로 높은 순위를 기록했지만, 생태계 분야인 기후변화대응, 생태계 서비스, 수생태계에서는 126위, 134위, 112위로 하위권에 위치했다.

우리나라는 경제 발전과 산업화의 열기에 휩싸여 있어 환경 실태가 점점 악화되고 있는 현실을 직시해야 한다. 지속 가능한 발전을 위한 환경보호와 관련된 노력의 부족, 무관심 비효율적인 정책 등이 대한민국의 환경 실태를 비판할 근거로 꼽히곤 한다.

대한민국은 경제력을 바탕으로 빠른 속도로 도시화와 산업화를 실현해왔다. 그러나 이러한 발전은 환경 문제의 심각한 악화와 직결되는 결과를 초래한다. 특히 대기 오염은 우리나라의 대표적인 환경 문제 중 하나로 꼽힌다. 주요 도시에서 발생하는 미세먼지와 공해와 사람들의 건강과 생활에 부정적인 영향을 미치고 있다. 화석 연료를 기반으로 한 에너지 사용과 차량 등의 대기 오염원이 부적절한 관리로 인해 대기질이 나빠지고 있다.

수질 오염 또한 우리나라의 환경 실태에서 뜨거운 감자로 떠오르고 있다. 미세플라스틱, 유해 물질들이 수중에 존재하여 생태계와 인간의 삶에 위험을 가하고 있다. 수질 오염은 농업과 생활용수에도 직간접적인 영향을 미치기 때문에 우리나라가 해결해야 할 중요한 과제이다.

또한 우리나라는 자원의 낭비와 폐기물 관리 부실로 인한 환경 문제도 겪고 있다. 쓰레기 발생량이 증가하면서 재활용률이 낮아지고, 친환경적인 폐기물 처리 방법의 부재로 환경 파괴가 가속화되고 있다. 이러한 문제들은 지속 가능한 자원 관리와 재활용을 위한 정책의 부재로 인해 악화되고 있다.

뿐만 아니라, 대한민국의 환경 실태는 생물 다양성 감소와 자연 생태계의 파괴로 인해 더욱 악화되고 있다. 도시 개발과 산업 확장으로 인해 숲이 감소하고 환경 파괴가 심각해지며, 이로 인해 생태계의 균형이 무너지고 있다.

마지막으로, 환경 정책의 미흡한 실행이다. 환경보호와 지속 가능한 발전을 위한 정부의 노력이 미흡하거나 효과적으로 이루어지지 않고 있다. 환경 문제에 대한 인식 부족과 정책의 부족한 효과로 인해 지속 가능한 환경을 보호하는 데 필요한 조치들이 지연되고 있다.

이러한 문제들을 종합해 볼 때, 우리나라는 경제 발전과 환경보호의 균형을 잡기 어렵고, 환경 실태가 심각한 수준으로 악화되고 있는 상황임을 알 수 있다. 이러한 문제들은 단순히 환경적인 문제뿐만 아니라 사회, 경제, 인간 건강 등에도 영향을 미치며, 적극적이고 효과적인 환경보호 정책과 개인의 노력이 필요한 시점임을 강조하고자 하는 바이다.

4. 소비 생활

환경보호의 중요성을 알아도 어떻게 보호하는지 알지 못한다면 무용지물이다. 재활용, 대중교통 이용 등 누구나 알만하고 실천 가능한 방안들이 많이 존재한다. 그중에서도 이번 챕터에서는 지속 가능한 소비에 관해 이야기해보려 한다.

지속 가능한 소비. 사전적으로는 미래 세대의 소비 욕구를 희생시키지 않는 범위에서 현세대의 욕구를 충족시키는 소비 형태를 의미한다. 일차적으로는 절대적인 소비량을 줄이고, 친환경적인 소비 생활이 요구된다.

지속 가능한 소비의 첫 번째 핵심은 자원 절약이다. 우리는 한정된 자원을 무한히 사용할 수 없으며, 이러한 자원의 고갈은 환경 파괴로 이어질 수 있다. 재활용 가능한 제품을 선택하고, 물과 에너지를 절약하는 습관을 통해 우리는 지구의 자원을 더 효율적으로 활용할 수 있다. 예를 들어, 일회용 플라스틱 대신 지속적으로 사용 가능한 환경친화적인 제품을 활용함으로써 플라스틱 오염 문제를 줄일 수 있을 것이다.

두 번째로, 지속 가능한 소비는 환경친화적인 생산 방식을 선호함으로써 생태계와 생물 다양성을 보호한다. 친환경적인 재료와 공정한 생산 과정을 가진 제품을 선택하면, 화학 물질의 배출과 오염을 최소화하고 생태계의 회복을 도울 수 있다. 지속가능한 농업과 양식을 지지함으로써 우리는 생산과 소비의 과정에서 생태계에 미치는 영향을 최소화할 수 있을 것이다.

하지만 지속가능한 소비는 단순한 개인의 선택으로만 이루어질 수 없다. 정부와 기업, 사회 전체의 협력이 필요하다. 정부는 환경보호와 지속 가능한 소비를 장려하는 정책을 시행하고, 기업은 환경친화적인 제품을 개발하고 생산하는 데 노력해야 한다. 또한, 우리 모두는 소비자로서 자신의 선택이 환경과 미래에 미치는 영향을 고려하며, 지속 가능한 소비를 실천해야 한다.

지속 가능한 소비는 우리의 미래와 환경을 위한 가장 중요한 길 중 하나이다. 우리의 소비 선택이 지구의 자원을 보호하고 환경을 개선하는데 기여할 수 있다. 우리 모두가 함께 지속 가능한 소비를 실천함으로써 더 나은 환경과 미래를 만들어 나갈 수 있을 것이다.

이러한 지속 가능한 소비만큼이나 지금 시대에 각광받고 있는 것이 있다. 바로 '미니멀라이프'이다. 현대 사회는 소비와 소유의 문화에 점점 더 몰두하고 있다. 물질적 풍요와 소비의 즐거움이 무엇보다 중요시되며, 더 많은 것을 가지는 것이 성공과 행복의 지표로 여겨진다. 그러나 이러한 추구는 종종 불필요한 스트레스와 소비의 폭주, 심지어는 환경오염까지 이어질 수 있다. 이러한 상황에서 탄생한 개념이 미니멀라이프이다.

미니멀라이프란 물질적인 소유와 소비에 의존하지 않고, 단순하고 의미 있는 삶을 추구하는 철학이다. 미니멀리스트들은 물건의 양을 최소화하고 중요한 가치와 경험에 집중하는 삶을 살아간다. 그들은 불필요한 물건이나 부담스러운 소유물로부터 자유로워지고, 물질적인 풍요가 아닌 영감과 만족을 찾으며 살아간다.

미니멀라이프의 아름다움은 단순함과 정숙함에 있다. 필요한 것만 소유함으로써 물질적인 부담을 덜 수 있을 뿐만 아니라, 개인의 가치와 정체성을 더욱 깊게 탐구할 수 있다. 물질적인 욕구에 얽매이지 않고, 시간과 에너지를 자유롭게 활용하여 자기 계발과 창조적인 활동에 더욱 집중할 수 있다.

또한 미니멀라이프는 환경보호에 긍정적인 영향을 미친다. 물질적인 소비의 감소로 인해 자원 소모와 폐기물 발생을 줄일 수 있으며, 지속 가능한 생활 방식을 실천할 수 있는 기회를 제공한다. 소유의 욕구를 억제하고 재사용과 재활용을 촉진함으로써 환경을 보호하고 미래 세대에 더 나은 지구를 남겨줄 수 있다.

소비 생활과 환경보호의 상관관계를 잘 못 느낄 수도 있다. 그럼 극단적으로 생각해 보자. 소비를 멈추는 날, 지구에서는 무슨 일이 벌어질까. 실제로 2020년 초, 코로나19 팬데믹으로 봉쇄령이 내려져 소비 생활이 일시적으로 멈추었다. 이 시기, 대부분의 국가들은 탄소 오염이 4분의 1가량 줄었으며, 푸른 하늘, 깨끗한 공기를 심심찮게 경험할 수 있었다. 이는 역사상 온실가스 오염이 가장 가파르게 줄어든 시기로 기록되었다.

이처럼 소비를 줄이면 기후 위기에 조금이나마 대처할 수 있다는 것을 실제 사례를 통해 알 수 있었다. 그럼에도 사람들은 소비를 멈추지 못한다. 소비를 멈추면 경제에 심각한 결과가 발생할 것이다. 그러나 소비를 멈추지 않는다면 짧은 기간 내로는 지구온난화를 멈출 수 없을지도 모른다. 우리는 쇼핑을 멈춰야 하지만 멈추지 못하는 소비의 딜레마에 놓여있는 것이다.

그러나 경제 성장의 종말이, 세상의 종말을 의미하지는 않는다. 오히려 성장 없는 삶이 전적으로 가능하다. 끝없는 확장에 얽매인 경제의 속도를 늦추면, 대부분의 인류 역사에서 나타난 더욱 완만한 성장의 추세에 다시 합류하게 될 뿐이다. 독창성을 발휘한다면 우리는 얼마든지 이에 적응할 수 있다.

보다 소소한 목표로 시작해보자. 선진국에서 소비를 5퍼센트씩 감축한다면 두어 해 전의 생활 방식으로 되돌아가게 되는데, 이는 거의 체감되지 않는 작은 변화일 수 있다. 그러나 우리의 욕망에서 경제의 역할, 지구 기후의 미래까지 모든 것이 변하기 시작할 것이다.

5. 채식

요즘 환경보호 방안으로 채식이 떠오르고 있다. 환경보호라는 이유뿐만 아니라 착취당하고 고통당하는 동물들의 삶을 보면서 채식을 시도하는 삶들이 많아지고 있다. 채식은 단순히 채소를 먹는 것이 아니다. 인간으로서의 윤리이자, 지구를 지키기 위한 하나의 방안이다. 그렇다면 채식이 왜 지구를 지키기 위한 하나의 방법으로 여겨지고 있는지 알아보자.

첫 번째로, 고기를 생산하는데 막대한 양의 물이 사용된다. 아래는 제품별 물 발자국을 나타낸 것이다. 물 발자국이란, 간단히 얘기하면 그 제품을 생산, 소비하는데 들어가는 물의 총사용량이다.

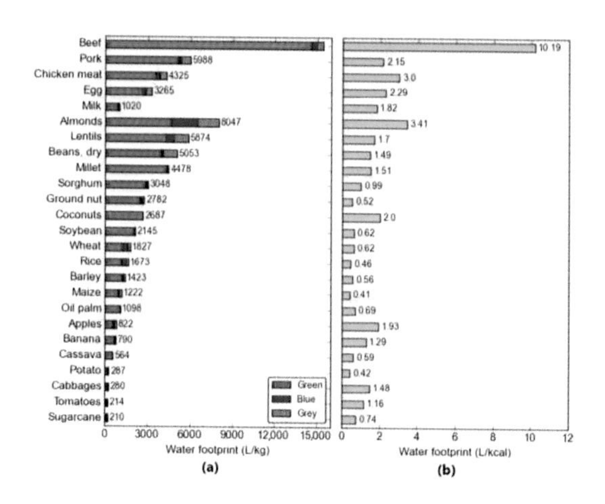

소고기 1kg을 얻기 위해서는 약 물 15000L가 필요하지만, 대표적으로 토마토는 1kg을 생산하는데 214L가량의 물이 필요하다. 정말 엄청난 차이인 것을 수치만으로도 느낄 수 있을 것이다. 심지어 완전 채식을 하는 비건의 경우 잡식을 하는 사람들보다 무려 약 13배의 물을 아낄 수 있다. 전 세계적으로 물 부족이 이슈가 되고 있는 마당에, 채식을 함으로써 절약되는 물의 양은 환경보호에 큰 도움을 줄 것이다.

두 번째, 가축을 키울 수 있는 땅이 한정적이라 땅을 마련하기 위해서는 산림을 파괴할 수밖에 없다. 산림을 파괴할 때 나무를 베거나 태우게 되는데, 나무를 태우는 과정에서 블랙카본이 나온다. 이 블랙카본은 지구 전체 온난화에 영향을 주는 요인 중 16%를 차지하며, 지구온난화의 주요 원인으로 지목되고 있는 탄소에 이어 두 번째로 큰 지구온난화 오염물질로, 과학자들은 메탄보다 온난화의 위험이 더 크다고 말하기도 한다.

심지어 사라지는 산림도 환경에 치명적인 영향을 준다. 산림은 다양한 동식물과 식물의 서식지로서 생물 다양성을 지원한다. 그러나 벌채로 인해 많은 생태계가 파괴되거나 변형될 수 있다. 이는 특정 종들의 멸종 및 생태계 균형의 불안정을 초래할 수 있다. 또한, 산림이 제거되면 토양이 노출되어 침식이 증가할 수 있다. 이로 인해 토양의 비옥도가 저하되고, 토양이 물로 유출되는 양이 증가하여 수질 오염도 야기할 수 있다. 산림은 대기 중 이산화탄소를 흡수하는 역할을 하는데, 벌채로 인해 산림이 감소하면 이산화탄소의 흡수량이 줄어들어 기후 변화를 가속화시키기도 하며, 지역 기후가 불안정해지고 홍수와 가뭄과 같은 기상현상이 증가할 수 있다.

그러나 시간이 지날수록 산림의 파괴는 더욱 가속화되고 있다는 것이 문제이다. 실제로 가장 생물종이 가장 풍부한 숲인 아마존도 지나친 벌목으로 점점 많이 파괴되고 있다. 과거 지구 표면의 12%를 덮고 있던 열대 우림은 현재 5%밖에 남지 않았다.

이로 인해 발생하는 문제점이 사막화 현상인데, 사막화 현상이 전세계적으로 지속된다면 황사 현상을 유발시킬 뿐만 아니라 물 부족 현상으로 인한 식량난에 빠질 수 있다. UN 사막화 대책협의회의 자료에 따르면, 사하라 사막 주변은 연평균 10㎢의 속도로 확장되고 있으며, 해마다 전 세계적으로 600만㎢의 광대한 토지가 사막화되고 있다고 한다.

사막화로 인해 지역의 물 자원은 고갈되며, 농업과 생활에 필요한 물의 부족이 심화된다. 물 부족은 작물의 생장을 방해하며 농작물 생산의 감소를 초래한다. 이는 식량 공급에 직접적인 위협을 가하며 굶주림과 식량 부족 문제를 야기할 수 있다.

사막 지역은 특정 동식물과 식물에 적합한 서식지를 제공하기도 한다. 그러나 사막화로 인해 이러한 생태계가 심각하게 파괴되거나 변형될 수 있다. 이로 인해 많은 동식물과 식물 종들이 멸종 위기에 처하며 생물 다양성이 감소한다. 생물 다양성의 감소는 생태계의 안정성을 약화시키며 생태적 균형을 위협한다.

사막화로 인해 토양은 유기물이 부족해지고 염분이 증가하여 풍화된다. 이로 인해 토양의 비옥도가 저하되며 작물의 생산성이 하락한다. 이는 농업의 지속가능성을 저하시키며 식량 생산량의 감소를 가져올 수 있다.

또한 사막화는 지역 기후 변화를 가속화시키는 역할도 한다. 땅의 표면이 더욱 데워져 열기가 증가하며 기후 패턴의 변화를 초래한다. 이로 인해 가뭄이 더욱 심화되고, 기후 불규칙성이 증가하여 홍수와 가뭄이 빈번하게 일어나기도 한다.

사막화로 인해 물 부족과 식량 공급의 위협은 심지어 사회적으로도 불안정성을 증가시킬 수 있다. 생계를 유지하기 어려워지는 지역 주민들은 이주하거나 빈곤화될 가능성이 높아진다. 이는 지역 사회의 발전을 저해하며 경제적 불평등을 증가시킬 수 있다.

세 번째로, 가축들은 주로 소화 과정에서 메탄 생성, 거름 분해, 아산화질소 배출을 통해 지구온난화에 영향을 미친다. 또한 가축들을 위한 사료 생산 또한 이산화탄소 배출을 발생시키기도 한다.

유엔식량농업기구에 따르면 가축은 전 세계 온실가스 배출량의 약 14.5%를 차지한다. 여기에는 장내 발효, 분뇨 분해, 사료 생산 및 기타 관련 공정에서 발생하는 배출이 포함된다. 대부분의 사람들은 지구온난화의 주된 원인이 교통수단에서 나오는 배기가스라고 생각을 하는데, 이는 온실가스 배출량의 약 13%를 차지한다. 가축이 배출하는 온실가스가 교통수단에서 나오는 배기가스의 양보다 많다는 것이다. 놀랍지 않은가. 가축들이 지구온난화에 이렇게나 중대한 영향을 끼치다니.

이러한 이유로 채식을 시도하는 사람들이 증가하고 있다. 환경과 동물들을 동시에 지킬 수 있으니 일석이조이다. 여러분도 잠시, 1주일이라도 채식을 시도해보는 건 어떤가?

6. 마치며

오래전부터 과학자들이 경고해 온 코로나 19 팬데믹 같은 감염병 충격이 현실화되고 각종 기상이변과 자연재해로 목숨을 잃는 사람들이 많아지자 긴급하게 조치를 취해야 할 기후 비상 상황을 인식하고 국제사회는 빠르게 대응하기 시작했다. 그레타 툰베리를 비롯한 전 세계 수많은 청소년들이 분노하며 절박한 심정으로 기성세대의 기후 침묵의 경종을 울리고, 다양한 환경운동가들이 과학을 부정하는 사람들을 설득하며 기후 위기 비상 행동을 이어 온 그간의 노력들이 열매를 맺기 시작한 것이다.

그러나 탄소중립을 선언한다고 온실가스 배출량이 저절로 줄어드는 것은 아니다. 그동안 탄소를 통해 문명을 건설한 인류에게 이제 탈탄소의 지속 가능 발전 사회로의 대전환에 대한 구체적인 계획과 이행 노력이 중요한 것도 이 때문이다. 국제사회나 각국 정부, 지자체는 말할 것도 없고 개개인도 물건 하나를 사더라도 지구 환경에 부담을 덜 주는 제품을 고르고, 온실가스 배출을 더 많이 감축하는 기업에 투자하는 등 최근의 인류사적 대전환에 적극 동참하고 국제적인 공조와 글로컬 대응을 병행하며 기후 위기에 대응해야 한다. 이미 재계에서는 ESG가 화두로 등장했고, ESG 경영이 지속 가능 경영이라는 인식이 확대되면서 관련 투자 시장이 빠르게 증가하고 있다.

오늘날의 지구 환경에 대한 정밀한 진단은 그냥 이론적인 수준에서만 머물러서는 안 된다. 반드시 지구를 구성하는 하늘과 땅과 바다와 얼음이라는 현장에서 실제로 수집된 다양한 환경 관측 데이터를 분석해 가장 사실적이고 정확한 수준의 모니터링이 있어야 한다. 이러한 지구 환경 감시와 분석을 통해 지구의 건강을 정밀하고 세밀하게 진단하기 전에 섣부른 지구공학적 수술부터 시도해서는 곤란하다. 특히 기후와 지구 환경의 작동 원리를 제대로 이해하기 위해서는 과거의 지구 환경 데이터 기록이 매우 중요하다. 지구온난화, 해수면, 빙하, 생태계 등 지구 환경을 구성하는 요소들의 변화를 이해하려면 과거의 변화 기록을 분석해야 하기 때문이다. 결국 우리가 살고 있는 지구 환경에 대한 과학적 데이터를 지속적으로 수집하고 분석해 지구의 건강 상태를 진단하는 노력이 현시점에서는 가장 중요한 인간과 지구의 공존 해법이다.

| 참고문헌 |

남성현, 2도가 오르기 전에, 애플북스
J.B.매키넌, 디컨슈머, 문학동네

| 작가의 말 |

지금 이 순간에도 사람들은 각자의 삶을 살고 있고, 지구는 아파하고 있다. 사실 지구를 생각하며 삶을 영위하는 것은 매우 어려운 일이다. 부정하고 싶지만 이미 기술은 지구를 생각하지 않는 방향으로 발전해왔으니까. 다행히도 요즘은 확실히 기후 변화에 대한 사람들의 관심이 부쩍 늘었다. 정부는 환경보호 정책을 시행하고 있고, 많은 기업들 또한 이를 시행하고 있다. 심지어 개인도 자발적으로 채식을 한다던가, 일회용품 사용을 자제하는 등의 노력을 취하고 있다. 그러나 아직 일부는 기후 변화 문제에 대한 인식이 부족하거나, 자신은 필요 없다는 등 안일한 태도를 가지고 있다. 일각에게 왜 우리가 환경을 보호해야 하는지, 인간이 지구에 어떤 부정적인 영향을 끼쳤는지, 이러한 상황이 지속된다면 앞으로 어떤 일들이 발생할지 등과 같은 문제에 대해 알리고자 이 책을 쓰게 되었다.

이 책을 읽으신 독자분들은 이를 깨달을 수 있는 계기가 되었으면 한다. 하나하나의 행동들이 모여 고난과 역경을 극복하고 희망을 찾을 수 있다는 것을 기억해두었으면 한다. 계속하는 뻔한 얘기지만, 우리가 앞으로 살아가야 할 세대를 위해, 지구를 위해 할 수 있는 근본적인 해결책은 하나하나의 작은 행동들이다. 하나하나의 작은 눈송이들이 모여 큰 눈덩이가 되는 것처럼 작은 노력이 모여 큰 결과를 얻을 수 있지 않겠는가.

아무쪼록, 글솜씨가 부족한 제 글을 겨우겨우 읽어주신 독자분들께 감사하다는 말씀을 전하고 싶다.

김지야 에세이

| 작가 소개 | **김지야**

대전 삼천중학교의 '지삼행'이라는 환경 동아리의 일원이자 누구보다도 환경을 지키고 싶은 사람 중 하나인 김지야입니다. 이번 1.5℃라는 책을 쓴 것을 시발점으로 환경을 위한 여러 가지 일들을 하며, 하는 중이고 할 것입니다.

1. 현재 심각한 환경문제

지구는 우리 모두의 공동 가정처럼 보호해야 할 적재물입니다. 그러나 우리의 현대 사회에서는 산업화와 문화로 인해 지구 환경이 점차 오염되고 고갈되고 있는 상황을 목격하고 있습니다. 이러한 환경오염은 우리의 생활과 자연 생태계에 치명적인 영향을 미치고 우리 모두가 마땅히 대응해야 할 문제입니다. 그중 현재 일어나고 있는 환경 문제 8가지에 대해 소개하겠습니다.

1. 온실기체의 증가

온실기체는 지구 대기 중에 존재하는 가스들이 태양으로부터 강력한 열을 잡아두어 이러한 가스는 태양으로부터 보호 복사 에너지를 대기 내로 제기시키려고 벽 표면으로부터 방출되는 것을 어느 정도 잡아두기 때문에 "온실 효과"의 역할을 합니다.

가장 주요한 온실기체에는 이산화탄소(CO_2), 메탄(CH_4), 이산화질소(N2O) 등이 있습니다. 이 기체들은 자연적인 진행과 인간의 활동에 의해 대기 중에 드러났고, 특히 2차 차량의 사용, 산업 프로세스, 목축, 농업 파괴 등 인간 활동으로 인해 대량으로 증가하고 있습니다. 온실기체의 가장 큰 문제점은 지구의 평균기온을 높여 지구온난화를 촉진시킨 다는 것입니다.

2. 플라스틱 오염

플라스틱은 현대 사회에서 빠르게 보급되어 생활의 거의 모든 영역에서 사용되고 있습니다. 그러나 플라스틱 사용의 폭발적인 증가는 환경 및 사회적 문제를 일으키고 있습니다. 플라스틱은 생태 생태계와 인간의 건강에 위협이 되고 있는 문제입니다.

해양: 플라스틱 쓰레기는 수로를 통해 해양으로 유입되며 해양 생태계에 심각한 영향을 미치고 있습니다. 큰 플라스틱 조각들은 해양동물에게 위험을 안기며, 작은 플라스틱 조각들은 생태계의 하위 단계로 전이되어 오염시킵니다. 또한 플라스틱 쓰레기로부터 축적된 박테리아와 미생물은 해양 생태계를 손상시키고 산호 백화에 기여한다는 문제점이 있습니다.

인간의 건강 문제: 플라스틱 제품의 생산과 과정에서 발생하는 물질들이 환경에 존재하고, 음식물 섭취를 통해 인간에게 흡수될 수 있습니다. 특히 내부에 있는 입자 플라스틱들이 우리의 몸 깊숙이 쌓일 수도 있습니다.

얼룩 및 환경적 오염: 플라스틱으로 인해 아름다운 자연 배수와 도시 미관이 훼손되며, 플라스틱으로 인해 오염된 장소와 해변 등에서 배수성 오염 처리로 인한 오염과 공간 오염도 심각해졌습니다.

3. 음식물 쓰레기

전 세계 사람들이 소비하는 음식물 중 3분의 1인 약 13억 톤이 낭비되거나 손실되고 있는데 이는 30억 명의 사람들이 먹을 수 있는 양입니다. 음식물 쓰레기와 손실은 연간 온실가스 배출량의 3분의 1을 차지합니다. 또한 식품은 생산, 운송, 소비, 음식물 쓰레기 처리에 이르기까지 매 단계마다 많은 양의 탄소를 배출합니다. 석탄발전, 교통 등 여러 산업에 비해 잘 알려지지 않은 거대 탄소 배출원입니다. 과학 저널 사이언스에 따르면, 전 세계 식품 생산 단계에서 배출한 온실가스는 137억 톤으로 온실가스 배출량의 26%를 차지했습니다.

개발 도상국에서는 음식물 쓰레기의 40%가 수확 후 처리 단계에서 발생하는 반면, 선진국에서는 음식물 쓰레기의 40%가 소매 및 소비자 수준에서 발생합니다. 소매 수준에서 심미적인 이유로 인해 엄청난 양의 음식이 낭비되고 있습니다. 실제로 미국에서 버려지는 모든 농산물의 50% 이상이 소비자들에게 판매되기에는 생김새가 이상하다고 여겨지기 때문입니다. 이 같은 과일과 야채는 약 6천만 톤에 달하는데 이것은 또 다른 가장 큰 환경 문제 중 하나인 식량 불안정으로 이어지게 될 수 있습니다.

4, 오존층 파괴

오존층 파괴란 지상으로부터 15~30km 높이의 성층권에 있는 오존층의 오존이 파괴되어 그 밀도가 낮아지는 현상을 말합니다. 오존층은 햇빛으로부터 오는 자외선을 흡수하여 자외선이 지구로 그대로 들어오는 것을 막아주는 역할을 하는데 오존층이 없이 자외선이 그대로 지구에 들어오면 모든 사람은 자외선을 과도하게 쬐게 되고, 피부가 붓거나 피부암에 걸리기도 하고 눈에는 백내장이 발생하고, 면역 체계에 영향을 주어 생각하지도 못한 질병이 발생할 수도 있습니다.

오존층은 1980년 무렵부터 지속적으로 감소하고 있으며, 봄철 남극 지방의 오존층은 급속히 감소하여 오존층이 뻥 뚫린 것 같은 오존 구멍과 같은 결과가 나타나기도 합니다.

오존층을 파괴하는 주된 물질은 염화플루오린화탄소 즉, 프레온 가스입니다. 프레온 가스는 냉장고의 냉매로 쓰이는 물질이며 프레온 가스가 오존층을 파괴하는 이유는 프레온 가스가 자외선을 쐬게 되면 그 자외선을 흡수하여 분해되면서 염소 라디칼을 만들고 이것이 오존을 파괴하기 때문입니다.

5. 패스트패션과 섬유 폐기물

UN 환경 프로그램에 따르면 패션 분야는 항공과 해운 분야를 합친 것보다 더 많은 온실가스 배출량을 발생시키며, 전 세계 폐수 발생량의 20%에 해당하는 930억㎥가 섬유 염색 시 배출됩니다.

게다가, 세계는 매년 최소한 9천 200만 톤 이상의 섬유 폐기물을 발생시키고 있으며, 오는 2030년까지 매년 1억 3천 400만 톤까지 급증할 것으로 예상됩니다. 버려진 의류와 직물 쓰레기는 대부분 생분해가 되지 않는 매립지로 가게 되고, 폴리에스테르, 나일론, 폴리아미드, 아크릴 및 기타 소재와 같은 의류 물질에서 나온 미세플라스틱은 생분해되지만, 토양과 근처의 수원으로 흡수되기에 토지오염에도 영향을 끼치게 됩니다.

세계에서 가장 건조한 사막인 칠레의 사막에서 볼 수 있듯이 엄청난 양의 의류 섬유가 저개발 국가에 버려지고 있는데, 이 사막에서는 적어도 3만 9천 톤의 다른 나라 섬유 폐기물이 함께 섞여 버려지고 있습니다.

6. 농업

인간이 배출하는 온실가스 배출량의 최대 3분의 1을 세계 식량 체계가 담당하고 있으며, 이 중 30%가 가축과 어장에서 나옵니다. 농작물 생산은 비료를 사용하여 아산화질소와 같은 온실가스를 방출합니다. 세계 농업 면적의 60%가 소 목장에 전념하고 있지만, 전 세계 육류 소비량의 24%에 불과합니다. 농업은 방대한 양의 토지를 차지할 뿐만 아니라 많은 양의 담수를 소비하며 경작할 수 있는 땅과 목초지는 지구 육지 표면의 3분의 1을 차지하지만, 세계의 제한된 담수자원의 4분의 3을 소비합니다. 과학자 및 환경론자들은 우리가 현재의 식량 체계를 재고할 필요가 있다고 계속해서 경고해 왔으며 식물성 식단으로 전환하거나 농업식품의 유통과정을 줄이기 위해 로컬푸드를 이용한다면 기존 농업산업의 탄소 발자국을 크게 줄일 수 있습니다.

7. 해양산성화

지구의 온도가 증가하면 해양 산성화에도 영양을 끼치게 됩니다. 산업화로 대기에 온실기체 중 하나인 이산화탄소의 양이 많아지게 되면서 이에 따라 점차 바닷속 이산화탄소의 양도 자연스레 증가하게 됩니다. 이 이산화탄소는 바닷속 용해되어 있는 산소와 만나 탄산을 만들게 되고 이 탄산은 해양의 pH농도에 영향을 끼치게 됩니다. pH의 농도가 낮아지는 산성화에 이르게 되면 굴, 껍질 그리고 뼈가 있는 해양 생물들이 녹게 됩니다. 또한 산호백화 현상에 따른 산호초 손실이 문제입니다. 이것은 바닷속 산성도의 증가로 산호초와 그 안에 사는 조류 사이의 공생 관계를 교란시켜, 조류를 몰아내고 산호초가 자연적인 선명한 색을 잃는 현상입니다. 이와 같이 전혀 생각지도 못한 곳의 생태계가 파괴될 수 있습니다.

8. 녹는 만년설과 해수면 상승

해수면은 지구의 온도 상승으로 인해 20세기 대부분의 기간보다 두 배 이상 빠르게 상승하고 있습니다. 현재 매년 평균 3.2㎜씩 상승하고 있으며 21세기 말인 2100년에는 약 0.7m까지 높아질 수 있다는 예측이 있습니다.

환경 문제 중 해수면에 가장 큰 문제라고 할 수 있는 빙하 해빙은 2021년 여름 그린란드에서 600억 톤의 얼음이 손실되어 불과 두 달 만에 전 세계 해수면을 2.2㎜까지 올릴 수 있을 만큼의 손실을 촉발시켰다는 점을 고려하면 더욱 우려됩니다. 그린란드 빙상은 2019년에 기록적인 양의 얼음이 녹았다. 이는 연간 분당 평균 100만 톤으로 폭포효과를 미치는 가장 큰 환경 문제 중 하나입니다. 그린란드 빙하 전체가 녹는다면 해수면은 6m 이상 상승할 것으로 예측됩니다.

해수면 상승은 해안가 주변 인구를 다른 지역으로 이주시키고 그 지역을 인구과잉 상태로 만들게 됩니다. 그 예로 세계에서 네 번째로 인구가 많은 중국 양쯔강 주변에 건설된 상하이 지역이 있습니다. 이 지역은 지리적 위치 때문에 홍수 위험이 높으며, 강우량으로 인한 홍수는 대피, 물관리 및 재산 피해와 관련하여 잠재적으로 치명적일 수 있습니다.

2. 지구를 위해 실천할 수 있는 행동들

1. 재활용과 분리수거 실천하기

재활용 가능한 자원을 분리하여 처리함으로써 전기 자원을 최대한 환경에 부담을 덜 줄 수 있습니다. 플라스틱, 종이, 금속 등을 재활용하면서 자연 자원을 기르고 지구 환경을 보호합니다.

2. 에너지 절약 실천하기

전기 조명을 줄이고 전력 소비를 줄이는 등의 에너지 절약 습관을 활성화하여 연료 사용과 탄소 배출을 줄입니다. 에너지 절약형 제품 선택과 전기 사용을 최저로 하여 친환경적인 라이프스타일을 구축합니다. 일회용 컵, 접시, 등 재사용 가능한 제품을 사용하여 오염과 플라스틱 오염을 감소시킵니다. 내구성 보온용기를 사용하거나 개인용 용기를 지참하여 폐기물과 오염을 막습니다.

3. 자동차 이용 줄이기

대중교통, 자전거, 도보 등을 활용하여 자동차 사용을 중단하여 대기 오염과 교통 체증을 치료합니다. 카풀 등을 통해 에너지 절약과 환경보호에 기여합니다. 노후 경유차에서 배출하는 미세먼지가 스모그로 이어지면서 사람의 건강을 해치고 지구를 파괴합니다. 노후 경유차는 친환경 전기차로 바꾸고, 가까운 거리는 도보로, 혼자 이동할 때는 자가용보다 대중교통을 이용하는 것이 좋습니다. 교통수단별 이산화탄소 배출 계수를 살펴보면 여객기, SUV, 중형차, 고속철도, 고속버스 순서로 많이 발생합니다. 같은 거리를 이동해야 한다면 이산화탄소 배출 계수를 고려해 온실가스 배출을 최대한 줄일 수 있는 교통수단을 활용하는 것이 좋습니다.

4. 전자영수증을 이용하기

우리가 물건을 샀을 때 받는 종이 영수증을 거절하고 전자영수증을 이용합니다. 종이 영수증은 화석연료를 이용하여 만들기에 화석연료 사용을 줄일 수 있습니다.

5. 일회용품 줄이기

카페 등을 갈 때 빨대는 거절하고 텀블러와 같은 다회용품을 이용합니다. 마트를 갈 때는 일회용 비닐 대신 장바구니를 사용하며 나무젓가락과 같은 일회용품 사용을 줄입니다.

6. 냉장고에는 필요한 것만 넣기

감자, 사과와 같이 빛이 차단되면서도 통풍이 잘되는 뚜껑 달린 바구니에 함께 넣어 보관하면 오래 먹을 수 있는 음식들이 있기에 이 음식들을 잘 알아둡니다. 뜨거운 음식은 꼭 식힌 후 냉장고에 넣습니다.

7. 탄소포인트제에 참여하기

탄소포인트제는 온실가스를 줄일 수 있도록 가정, 상업, 아파트 단지 등에서 전기, 상수도, 도시가스의 사용량을 절감하고 감축률에 따라 탄소 포인트를 부여하는 전 국민 온실가스 감축 실천프로그램입니다. 에너지 절약을 통해 받은 탄소 포인트로 태양광발전시스템 설치 등 친환경 활동에 동참할 수 있습니다.

8. LED조명으로 교체하기

LED 조명은 형광등이나 일반조명에 비해 지속력이 10~15% 더 높고, 에너지 소비량이 30~60%가량 낮기 때문에 에너지 효율이 좋습니다.

9. 의약 폐기물은 반드시 정해진 곳에 버리기

일반 의약품을 일반쓰레기에 버리면 의약 폐기물의 화학작용으로 토양오염은 물론 슈퍼 박테리아 같은 세균과 바이러스가 생겨날 수 있습니다. 그렇기에 의약 폐기물을 함부로 버리지 말고 근처 약국의 의약품 전용 수거함에 버립니다.

10. 육식보다 채식을 하기

축산업에 사용되는 토지의 양은 전 세계 토지의 50%입니다. 열대 우림이 조성되는데 2000~3000년이 필요하지만, 공장식 축산업을 위해 밀림이 파괴되는 데는 불과 25년밖에 걸리지 않습니다. 소고기 1kg를 생산하는데 물 1만 6000L가 소모됩니다. 곡물인 쌀 1kg에 3400L인 데 비해 5배에 해당하는 물 소모량입니다. 일주일에 하루를 채식하면 자동차 450만 대가 멈추는 효과가 있습니다.

4. 기후 변화 협약

기후 변화는 긴급 상황에 처한 가장 심각한 문제입니다. 지구온난화, 해수면 상승 등의 문제는 우리의 환경, 경제, 사회에 장기간 복잡한 영향을 미치고 있습니다. 이에 대응하여 국제사회는 1992년 리우데자네이루에서 개최된 UN 지구환경개발회의를 시작으로 기후 변화 문제에 대한 심각성을 인정하게 되었고, 이후 연도 동안 많은 노력과 저지를 통해 2015년에 기후변화협약이 이루어졌습니다.

기후변화협약은 세계적으로 온실가스 발생을 유발시키는 역사적 의제입니다. 이 회의는 유엔 기후변화협약의 한 부분으로, 지구온난화의 주요 원인인 과제와 같은 온실가스의 목격을 감소시키는 것을 목표로 합니다. 협약에는 각 뚜껑이 자체적으로 설정한 온실가스 발생 목표(INDC)를 이행하도록 규정하고 있으며, 이를 통해 지구온난화의 영향을 중단하고 지속 가능한 발전을 도모하고자 하는 의지가 반영되었습니다.

또한, 기후변화협약은 개발 도상국과 인력 동원을 강조하며, 기술 이전과 자금 지원 등을 통해 개발 도상국의 기후 변화 대응능력을 향상시키는 데 초점을 맞춥니다. 이러한 다양한 측면을 고려한 기후변화협약은 지구촌에 궁극적으로 긍정적인 영향을 미치고, 기후 변화에 대한 글로벌한 대응을 촉구하고 있습니다.

기후변화대응의 시작에는 유엔기후변화 협약이 있었습니다. 위에서 말했다시피 유엔기후변화 협약에서 기후 변화의 심각성은 인정됐지만 유엔기후변화 협약은 이산화탄소를 비롯한 온실기체를 막는 것에만 집중했으며, 배출을 막는 것에 대한 제약 또는 구속력이 없었기에 법적 구속력이 없다는 한계에 부딪혔고 이를 극복하기 위해 교토의정서라는 새로운 기후위기협약이 생기게 되었습니다.

교토의정서는 1997년 지구온난화 방지 교토 회의(cop3) 제3차 당사국 총회에 채택되었습니다. 온실 효과의 원인인 이산화탄소를 비롯한 6종류의 감축 대상 가스의 법적 구속력을 가진 배출 감소 목표를 지정하고 있으며 이행 국가는 온실가스 배출을 1990년 수준보다 평균 5.2 퍼센트 감소 등과 같은 구체적 목표를 세웠습니다. 하지만 교토의정서 조항의 의무는 선진국에만 해당하고 급격한 산업화로 온실가스 배출의 대부분을 차지하는 개발 도상국에게는 해당하지 않았습니다. 그래서 협약의 필요성에 대한 비판이 꾸준히 제기됐고, 미국, 캐나다 등 일부 선진국들이 탈퇴하면서 이 협약은 점차 사라지게 되었습니다. 결국 이 교토의정서보다 나은 새로운 체제인 파리기후변화협약이 등장하게 됩니다.

파리 기후변화협약은 2015년 유엔 기후 변화 회의에서 채택된 조항으로 교토의정서와는 달리 195개국 모두에게 구속력이 있는 보편적인 기후 협약입니다. 또한 산업화 시기 대비 지구 평균기온 상승폭을 1.5℃ 이하로 제한하는 것을 목표로 하며, 당사국이 스스로 신기후체제하의 온실가스 감축을 위한 국가별 자발적 기여 방안이자 감축 목표인 INDC 제출을 의무화하고 이에 대한 이행 점검이 5년마다 시행되어야 한다는 조항이 들어 있습니다. 이를 토대로 우리나라도 2030년 배출전망치 대비 37퍼센트 감소시키겠다는 감축 목표를 설정해 INDC를 제출했습니다

5. 끝마침

이 책은 기후 위기에 대한 현재의 상황과 문제를 제기했습니다. 우리는 이제 그 현실을 직시하고, 노출된 영향을 이해하며, 미래를 위한 긍정적인 변화를 찾을 때입니다. 하지만 마무리를 짓는다는 것은 우리가 끝장을 내며 더 이상의 행동이 필요하지 않다는 의미가 아닙니다. 따라서 새로운 시작을 의미합니다.

우리는 이미 기후 위기에 대응하기 위해 많은 노력을 기울이고 있음을 보여 주고 있습니다. 이상적인 재생에너지 시스템의 건설, 지속 가능한 농업과 산업의 개발, 환경보호를 위한 국제 협력 등이 그 예시입니다. 이러한 노력은 미래에 희망을 안고 가는 길을 열어줍니다.

우리에게 에너지 절약, 친환경적인 생활 등은 중요한 책임입니다. 또한, 정부와 기업의 리더들에게서도 발전과 투자가 요구됩니다. 우리는 모두 함께 기후 위기에 대한 민주적이고 책임 있는 대응을 하고, 더 나은 미래를 길러야 합니다.

이 책의 목표는 우리에게 용기와 영감을 줄 뿐만 아니라, 기후 위기의 복잡한 문제를 이해하고 협력과 행동을 통해 극복해 나가는 데 도움을 주는 것입니다. 모든 사람들이 이 문제에 관심을 가지고 함께 노력하며, 우리의 환경과 미래를 위해 힘을 발휘해야 합니다.

마무리하며 우리는 기후 위기를 넘어서기 위해 길을 찾아 떠나야 한다는 사실을 기억하며 더 나은 미래를 위한 희망과 행동을 계속 이어가기를 바랍니다. 그것은 우리의 손에 달려있는 가능성입니다. 지구와 모든 과거의 역사적 여정을 생각하며 우리는 함께 이 기후 위기를 극복하는 데 성공할 수 있을 것입니다.

| 작가의 말 |

이 책을 구매하신 여러분은 그 자체로 환경에 관심이 어느 정도 있다고 생각합니다. 작가는 독자가 이 책을 읽고 환경에 대해 더 열중하는 마음을 갖고 환경을 지키기 위해 노력하길 바랍니다.